les fondements topologiques de la peinture

DU MÊME AUTEUR

LA LITTÉRATURE ET LE NON-VERBAL, Montréal, Éditions d'Orphée, 1958.

STRUCTURES DE L'ESPACE PICTURAL, Montréal, Éditions Hurtubise HMH, 1968.

SAMUEL BECKETT OU L'UNIVERS DE LA FICTION, Montréal, Les Presses de l'Université de Montréal, 1973.

fernande saint-martin

les fondements topologiques de la peinture

essai sur les modes de représentation
de l'espace, à l'origine de l'art
enfantin et de l'art abstrait

llection constantes
litions hmh

40

Les dessins d'enfants qui illustrent cet ouvrage appartiennent à la collection réunie par Irène Senécal pendant les Cours du Samedi du Département de pédagogie artistique de l'Université du Québec à Montréal. Nous remercions cette institution d'en avoir permis la reproduction.

Cet ouvrage a été publié grâce à une subvention du Ministère des affaires culturelles du Québec.

Maquette de la couverture:
Pierre Fleury

Éditions Hurtubise HMH, Limitée
7360, boulevard Newman
Ville LaSalle, Québec
H8N 1X2
Canada

Téléphone: (514) 364-0323

ISBN 2-89045-330-8

Dépôt légal / 1er trimestre 1980
Bibliothèque Nationale du Québec
Bibliothèque Nationale du Canada

Imprimé au Canada

Table des matières

		Pages
Introduction		7
Chapitre I	: Construction et déconstruction de l'objet	17
Chapitre II	: Construction de l'espace	37
Chapitre III	: Représentation de l'espace	49
Chapitre IV	: Les rapports topologiques	61
Chapitre V	: Les espaces projectifs	99
Chapitre VI	: La perspective euclidienne	119
Chapitre VII	: Les structures de l'art enfantin	141
Conclusion		173
Notes		177

Introduction

En dépit de la place grandissante qu'il occupe dans la conscience contemporaine, le discours sur l'art ne peut s'épargner les conflits profonds d'une civilisation qui, ayant appris le relativisme de tout perspectivisme, ne se résigne pas à l'absence d'affirmations ultimes et globales.

Nostalgique des sociétés anciennes, dont la sécurité affective dépendait le plus souvent d'une négation du temps et du devenir, l'homme moderne voudrait réconcilier le sens d'un destin et d'une historicité avec une adhésion sans limites à un présent, immédiat et absolu.

L'homme n'a pu encore assimiler le terrible message proposé par le développement des sciences au XXe siècle, frappant de nullité, non seulement la véracité de tout ensemble de formulations découlant des jugements inductifs ou déductifs, mais la possibilité même d'élaborer des jugements qui correspondraient à ce que l'homme d'hier concevait comme une «vérité» à découvrir[1].

Une très grande méfiance entoure encore le développement scientifique. Car, en plus des multiplications manifestes du pouvoir technologique et de ses conséquences problématiques, la pensée scientifique est toujours susceptible de faire émerger des constats, à des niveaux plus fondamentaux, qui annihileront les quelques notions sécurisantes que l'homme n'apprend aujourd'hui qu'il les possède encore qu'au moment où on lui demande d'y renoncer.

Paradoxalement, l'homme tente de transcender ce traumatisme par un recours plus étendu à des affirmations nettement subjectives, souvent de caractère esthétique, qui permettraient d'élaborer de nouveaux types de fondement à son être, différents des paramètres de «certitude» véhiculés auparavant par les religions ou les sciences quantitatives.

Car à travers cette désintégration des structures psychiques qui encadraient et conditionnaient les comportements de l'homme ancien, un message émerge, toujours plus insistant. C'est que tout discours, esthétique ou scientifique, est issu de l'homme lui-même et ne parle ultimement que de lui, de ses structures de perception, de ses possibilités d'accommodation et de transformation des données du réel sur le fond de ses besoins émotifs les plus fondamentaux.

D'où la place unique qu'occupe dans les esprits d'aujourd'hui l'activité esthétique. En dépit de nombreux efforts qui ont été faits pour lui donner des fondements objectifs ou collectifs, qu'ils soient sociaux, philosophiques ou scientifiques, celle-ci a toujours finalement réaffirmé son caractère «subjectif» premier. Quelles que soient les diverses assimilations provisoires qu'on en voudrait produire avec d'autres types de discours humains, l'art en effet réitère la spécificité fondamentale de sa relation à l'expérience humaine.

La plupart des oeuvres du passé ne se rangent qu'à contre-coeur à l'intérieur des grandes abstractions stylistiques élaborées par l'histoire de l'art. Le caractère discontinu et imprévisible des propositions des créateurs, qui deviendront le pivot d'une dissémination plastique ultérieure, nous ramène au fondement individuel et subjectif de son trajet et de ses fins véritables. Plus important encore à l'heure actuelle, la confrontation de l'esthétique avec ces ultimes données irrationnelles que constituent la fonction de la couleur, l'élaboration des rythmes, l'intuition de la forme, semble mettre en échec toute tentative de lier efficacement les faits esthétiques dans des lieux intersubjectifs de communication.

Alors que la pensée scientifique s'est orientée avec ferveur dès le 17e siècle, en mathématique, en astronomie, en physique, etc. dans des directions qui auraient été frappées d'anathème par les Anciens, la réflexion esthétique est demeurée plus hésitante. Face à un mouvement constant pour s'émanciper des valeurs et des définitions de l'Antiquité, l'esthétique du 18e et du 19e siècle a plutôt entrepris de réétablir et de survaloriser, par compensation, les concepts esthétiques qui se dégageaient des oeuvres anciennes.

Et quand chez les artistes, l'éclatement des concepts de la forme finie, limitée et cernée, symbolique de la réalité chez les Anciens, s'est finalement réalisé, l'esthétique classique a cherché à contenir dans la grille ancienne l'art tumultueux de Michel-Ange et du Baroque, cette nouvelle passion du devenir, du trajet incessant vers un terme toujours à découvrir. Elle a voulu nier la nouvelle conscience du cycle de la vie et de la mort, de la négentropie à l'entropie, qui s'y manifestait.

L'audacieuse incorporation par la Renaissance d'un point de rencontre des lignes de force à une distance «infinie» au fond du tableau, qui détruisait la conception de l'espace limité qui régnait chez les Grecs, n'a pas été reconnue pour ce qu'elle apportait d'indétermination. L'esthétique l'a figée dans un symbolisme restreint, qui détermine la position des objets et des mouvements dans un ensemble remarquablement statique de coordonnées orthogonales, grille immuablement ajustée sur l'étendue mouvante et le temps menaçant.

Ainsi cette «Renaissance de l'antiquité», déterminée comme le pôle et le modèle de l'émergence du Quattrocento par l'esthétique classique, ne s'offre que comme une interprétation idéale, destinée à rassurer et à restreindre le développement impétueux de la sensibilité occidentale, enfin ouverte à la réalité tragique du mouvement et de la transformation indéfinie de toutes choses.

Ce qui demeurait relégué chez les Anciens dans les zones du mystère et sous le contrôle des religions aux rites ambigus et violents, ponctuées d'initiations et de cérémonies savantes et secrètes, l'homme de la Renaissance voulut le confronter dans la lumière. Il a d'une certaine façon rescapé certains éléments non-pensables préalablement, bribes éparses d'un refoulé soumis peu à peu au regard de la conscience. Comme un Âge d'or et un Paradis perdu, la tranquille aisance d'un art grec fini et fermé a été rejetée par l'homme postgothique, qui s'est engagé dans l'exploration difficile et dangereuse d'une spatialité ouverte et infinie, transcendant les limites sensorielles que les Grecs avaient voulu donner à leur image du monde.

Sans doute, la colonne grecque monolithique et la sculpture anthropomorphique, définissant par des plans fermes et externes des corps intemporels et stables, réalisaient la quintessence de la perception de l'espace de l'homme euclidien, qui niait en même temps que la notion de l'infini, à l'intérieur comme à l'extérieur de l'homme, toute réalité véritable du mouvement. Dans la notion ontologique posant que «L'Être est ce qui est», le mouvement était toujours/déjà récupéré dans une forme éternellement identique.

Ces corps solitaires et nus de la statuaire grecque, ne portant les traces ni d'un passé formateur, ni d'un environnement dont les énergies les mouleraient, expriment le refus d'accepter la notion de l'espace comme la somme des événements qui constamment transforment la réalité.

Déjà chez Giotto, les corps modelés, arrondis et individualisés dans leurs dimensions propres, se relient à un arrière-plan qui est à la fois l'écho, le corollaire, l'explicitation de leur trajet dans un milieu complexe qu'on ne veut plus nier. La ligne d'horizon qui émerge déjà comme l'autre terme de la définition des corps, se transforme peu à peu en ce plan-limite de toute image visuelle, en dépit de l'adjonction de cet hypothétique point de fuite, symbole à la fois d'un prolongement possible vers l'infini et d'une trace/arrêt tangible de ce même mouvement, un point-limite pour signifier le sans-limite. Convergence des trajets qui émanent du moi, les lignes se réunissant au point de fuite situent le lieu du premier miroir de la dimension intérieure de l'homme, projetée d'abord comme simple hypothèse structurelle, remarquablement démunie cependant des moyens sensibles et qualitatifs de son affirmation.

Cette première incorporation de l'espace/temps dans la représentation de la réalité spatiale de l'homme devait déclencher un processus qui ne s'arrêtera plus. L'on s'étonne que la Renaissance occidentale ait été l'unique société humaine à élaborer un système de représentation semblable à la perspective euclidienne. C'est que l'on n'a pas pris la peine de noter que l'antiquité grecque fut aussi la seule à refuser d'assumer le tragique propre à la reconnaissance du mouvement et du temps, c'est-à-dire les dimensions les plus profondes de l'espace.

Déjà le soulignait, en 1917, Oswald Spengler dans son ouvrage, «Le Déclin de l'Occident»[2], publié au moment même où cet art occidental opérait une brisure radicale, dont il n'a malheureusement pas su mesurer toute l'importance. Contre la notion d'une condensation de la notion d'être dans l'analogie de la forme fermée, immédiate, concrète, à l'avant-plan de la perception, l'Europe du Nord, puis l'Italie, opposent une autre sensibilité qui se veut conscience du «plus lointain», du «distant», de la multiplication des coordonnées dans l'élaboration du champ spatial. Cette affirmation se marquera particulièrement par la valorisation de «l'arrière-plan». Dès lors, écrit Spengler: «L'arrière-plan, esquissé jusqu'alors avec indifférence, considéré comme remplissage, passé comme espace à peu près sous silence, prend une signification décisive». Plus précisément, «l'arrière-plan, symbole de l'infini, triomphe du plan antérieur, sensible et concret». En d'autres mots, l'Impressionnisme commence avec Léonard et Giorgione[3]. Le 'sfumato' de Léonard offre cette première tentative pour briser l'autonomie formelle de l'objet, jusque-là isolé et définissable en dehors de ses relations avec son environnement. Aussi bien, les nouvelles structures spatiales, baroques, de Michel-Ange marquent la fin de la prépondérance de l'objet fini, en premier plan. Pour leur part, les paysagistes hollandais ne peignent que des arrières-plans, des atmosphères, tout en inaugurant le traitement nouveau des nuages.

Ainsi dès l'abord, deux voies structurelles se sont offertes pour la déconstruction de l'espace antique, restreint, contenu et limité. D'une part, le traitement différent de la 'lumière' qui par son action symbolique et continue mènera à une dissolution presque totale de la notion de l'objet euclidien. D'autre part, un type d'organisation structurelle tendant à définir et à exprimer une complexité articulée de plans, spécifique d'une nouvelle sensibilité de l'espace.

Encore aujourd'hui, par exemple, l'Expressionnisme abstrait québécois avec Borduas, ou américain avec Pollock et de Kooning, a voulu réaliser la dissolution de l'objet dans son environnement, par la mobilité et l'articulation de la «touche». Par ailleurs, Mondrian, entre autres, a posé vingt ans plus tôt, les assises d'une structure spatiale nouvelle, toujours mouvante et dynamique, qui transcende la notion d'objet et assume pleinement la dissolution de l'espace statique de l'Impressionnisme. Car l'action déconstructrice de l'Impressionnisme, qui se fondait encore sur une manipulation d'un élément de la réalité sensible externe, la 'lumière', en dépit de sa cohérence et de son efficacité indéniables, ne pouvait offrir les éléments d'une reconstruction à partir de sa dynamique propre. Il demeurait une «mimésis», une «imitation de l'impression»[4] même s'il constituait, en partie, une réaction vigoureuse contre la conception euclidienne de la réalité. Et l'on comprend la réaction de Cézanne devant un art de l'instantanéité, encore asservi au mimétisme d'une pseudo-objectivité, au lieu de devenir une dimension interne de la psyché, susceptible de fonder une expérience globale et hétérogène du phénomène spatial.

Pourtant, comme l'a bien vu Spengler, l'Impressionnisme marquait déjà un bouleversement profond vis-à-vis des conceptions de l'objet traditionnelles:

«L'Impressionnisme est l'inverse du sentiment euclidien de l'univers... On ne subit pas l'action des objets éclairés réfléchissant la lumière, parce que ces objets existent, mais parce qu'on les considère comme n'existant *pas* «en soi». Ils ne sont plus des corps, mais des résistances de la lumière dans l'espace et dont le coup de pinceau démasque la pesanteur illusionniste. On reçoit et rend simplement *l'impression* de ces résistances, qui sont considérées dans le calme comme les pures fonctions d'une spatialité de «l'au-delà» (transcendante). On pénètre dans les corps avec la vue intérieure, on lève le charme de leurs limites matérielles, on les sacrifie à la majesté de l'espace»[5] Art de faire mouvoir l'immobile, l'Impressionnisme était encore pour Spengler une saisie par l'homme du caractère expressif des médiums symboliques traditionnels, un «portraitisme du paysage».[6]

L'espace n'est donc plus le lieu qui renferme des objets limités, circonscrits dans leurs formes apparentes, mais le lieu virtuel qui rend possible l'apparition des formes, leurs interactions et leurs métamorphoses continues. L'espace devient, de fait, la forme globale constituée par les émergences dynamiques mêmes de la réalité. Il est structuré par leurs trajets. Il résulte des particularités de tout ensemble d'interrelations entre des événements énergétiques qui concrétisent l'expérience émotive du devenir à laquelle l'homme ouvre peu à peu sa conscience.

Cette conscience du devenir à été tout autant refoulée par l'art antique, qui l'a nié en assimilant l'Être à l'éternel présent, que par l'homme oriental qui l'a relégué à la fonction de fondement ultime, frappant de nullité et d'illusion le phénomène réel du changement dans la réalité physique et psychologique. Elle représente une aventure spirituelle unique qui exige de l'homme qu'il surmonte ses tabous les plus profonds, ses craintes les plus fondamentales, pour accepter de poser les dimensions du temps, symbole même de sa destruction prochaine, du caractère transitoire et éphémère de son être et de son existence.

En s'intégrant la dimension du temps, la nouvelle conception de l'espace oblige en particulier à renoncer à l'impossible réversibilité de l'être. Lieu de renfermement, de contenant de l'être, transposition immédiate de l'imaginaire utérin qui se renforcissait de la synthèse phallico-vaginale, l'ancienne conception de l'espace exigeait que la nature du réel reflète la forme psychique, nostalgique et fermée, de l'origine biologique. L'espace ouvert, «sans objet», situe l'homme dans une relation d'équilibre asymétrique où le flot continu de ses interrelations avec son environnement interne et externe, le rend enfin sensible à toute la richesse du réel.

Le message des artistes contemporains issus de Cézanne demeure cependant sibyllin, non seulement aux yeux d'un public peu apte à remettre en question la logique aristotélicienne ou la physique newtonnienne, mais aussi pour un autre public, plus informé peut-être, mais troublé par les incertitudes et le relativisme de la pensée contemporaine.

Nous croyons, pour notre part, que toute communion affective avec l'oeuvre d'art contemporaine, qui a opéré une rupture radicale avec les traditions instaurées par la Renaissance, exige une transformation analogue des structures mentales qui conditionnent au premier chef nos structures de sensibilité.

Au-delà des vaines oppositions d'affirmations contradictoires, la seule possibilité d'un consensus dans la pensée contemporaine ne peut se réaliser que dans une remise en question au niveau de l'épistémologie, qui est devenue la réflexion philosophique majeure de notre époque. Par quels processus sensibles et psychiques connaissons-nous la réalité? Que connaissons-nous de la réalité? Quels systèmes de représentation utilisons-nous? Qu'est-ce que l'art peut exprimer, et par quels moyens, de notre relation au monde?

Nous nous proposons en premier lieu dans cet ouvrage, sur la base des recherches de l'épistémologie génétique et des expériences déjà menées sur l'art enfantin, de dégager les structures de représentation les plus fondamentales élaborées par l'être humain dans ses premiers contacts avec la réalité. Nous croyons que loin d'avoir été totalement «refoulés» par les idéologies répressives des sociétés qui nous précèdent, ces fondements structurels de la perception et de la représentation que sont les «rapports topologiques» ont été les sources constantes de l'évolution dynamique de l'art et qu'ils trouvent dans l'art actuel un champ de développement extraordinairement fertile.

Nous examinerons dans un ouvrage subséquent, comment les oeuvres majeures du XXe siècle ont élaboré, à partir de ces fondements topologiques, de nouvelles formes expressives qui tout en rejoignant l'art des plus grandes sociétés humaines, rend compte ici et maintenant, d'une sensibilité en perpétuelle mutation.

Chapitre I

Construction et déconstruction de l'objet

Le développement de la pensée abstraite a finalement permis à l'homme de se relier à nouveau aux niveaux les plus concrets, sensibles et émotifs, de son expérience originale du monde. Comme le résumait Georges Matoré: «L'adoption d'une géométrie abstraite permet aussi d'aller plus loin dans l'analyse du *concret* et de l'*individuel*. Contrairement à ce qu'on pense parfois, la connaissance de l'abstrait rejoint celle du concret et toutes deux s'opposent à une connaissance *globale* et *syncrétique*.»[7] Et l'homme a aussi tenté de s'en faire une représentation positive, hors des schémas géométriques euclidiens qui depuis la Renaissance ont fixé dans des grilles trop restreintes l'organisation de son expérience, à partir d'exigences pragmatiques qui la coupaient de ses dimensions réelles.

On chercherait vainement en effet à faire équivaloir aux potentialités réelles du psychisme humain les quelques opérations de synthèse encadrées par le principe d'identité et la grille spatiale euclidienne, même si elles ont permis à l'homme de se nourrir, de s'orienter, de se défendre des intempéries ou des animaux et finalement de dominer les autres humains.

La confusion la plus grave qui est survenue fut le manque de distinction entre le jugement d'existence et le jugement d'identité entre le «quelque chose est là» (il y a là quelque chose) et le «cette chose est ceci» (cette «table» est là). Alors que le jugement d'existence résulte d'une conduite qui nous confronte à une altérité de stimuli, le jugement d'identité voudrait poser un même caractère évidentiel à un type d'organisation des données sensorielles qui résulte pourtant d'un long processus de conditionnement et d'apprentissage verbo-culturel aux niveaux de la forme, de la fonction et du sens.

Ce que nous appelons les «objets» de la réalité physique ou naturelle sont des produits de synthèse, qui tirent de leur efficacité dans l'adaptation de l'organisme à son entourage, une apparence de nécessité, injustifiable pourtant à d'autres niveaux de perception de la réalité. La «table» n'est plus une «table» au niveau microscopique — et elle n'est plus une «table» lorsqu'elle est insérée dans un tissu de mots à intentionnalité poétique ou qu'elle devient la «forme anecdotique» de l'organisation de taches de couleurs sur une surface.[8]

La formation de la notion d'objet, qui est le résultat d'un certain processus d'adaptation de l'organisme à l'environnement, quelle que soit son utilité pratique, ne peut cependant prétendre à une validité quelconque, en-dehors des conditions et des finalités qui lui ont donné naissance.

Et c'est en illustrant le processus par lequel cette notion d'objet s'est formée que l'épistémologie génétique de Jean Piaget a permis de la situer dans ses coordonnées réelles, de la relativiser à ses fonctions propres qui ne satisfont ni à une connaissance «objective» de la réalité, ni à un «besoin» permanent, essentiel et total du fonctionnement psychique humain.

Sans doute, le travail de Piaget est dépendant de sa propre situation dans l'évolution de la pensée humaine. Sa problématique résulte des interrogations les plus dramatiques qu'offre le XXe siècle à notre réflexion. L'antinomie créée par ce que Bachelard a appelé la «coupure épistémologique» — cette distanciation progressive et irréversible entre ce qu'on appelle les connaissances du «sens commun» et les connaissances élaborées par la pensée scientifique — semble engendrer une forme de schize permanente, entre l'expérience spontanée, commune, à laquelle la phénoménologie tentera avec une ferveur aveugle de maintenir une légitimité théorique et pratique — et cette expérience de la réalité tout à fait transformée, aussi bien par les données des sciences humaines telles que la psychanalyse, que par les sciences physiques elles-mêmes.

En effet, la connaissance scientifique contemporaine ne peut être mise en continuité avec le «bon sens»: elle heurte constamment ce «sens commun» en niant ses convictions, ses habitudes de perception et de comportement, qui apparaissent bientôt comme des «illusions», des identifications idéalistes et grossières entre les choses, les mots et les concepts. La persistance phénoménologique à vouloir maintenir une valeur de fondement à ce qu'on appelle le «rapport vécu» des hommes à leur monde ne peut s'édifier que dans une négation et une méconnaissance de l'historicité fondamentale du phénomène humain et de ses fonctions psychiques. Comme disait Bachelard: «L'Esprit a une structure variable dès l'instant où la connaissance a une histoire»[9]. Car les structures de l'esprit se réalisent selon les modalités même de la relation qu'il établit avec la réalité.[10]

Et c'est avant tout par l'établissement de l'historicité de la connaissance humaine que Piaget a fourni les outils conceptuels permettant de comprendre les contradictions qui ont surgi entre la connaissance commune et la connaissance plus approfondie de la réalité qu'offre la pensée scientifique, laquelle se trouve paradoxalement plus proche de certaines intuitions de la pensée «mystique» que de celles de «l'homme de la rue».

Pour sauver l'homme contemporain des déchirements que pose le fait d'être tiraillé entre les voies si différentes de la pensée spontanée et celles de l'expérience socioculturelle accumulée, le recours est nécessaire à une conduite qui accepte de se confronter avec les exigences de la pensée scientifique d'aujourd'hui. Il est manifeste en effet que c'est le corpus scientifique antérieur, à partir des niveaux atteints au 17e et du 18e siècle, qui fonde encore la réaction spontanée du «sens commun» actuel, qu'il s'agisse de l'espace comme étendue de Descartes ou la physique de Newton. Une nouvelle synthèse unifiante des discours humains ne peut se réaliser que par un raccord aux connaissances plus larges que nous possédons maintenant sur l'homme et sur le monde.

En particulier, c'est à partir d'une théorie générale de la connaissance qu'il deviendra possible de définir des méthodes cohérentes de pensée pouvant s'appliquer aussi bien à la science, à l'art qu'à l'expérience commune, c'est-à-dire qui puissent établir des correspondances entre les «vocabulaires» si différents et leurs axiomatiques, afin de dégager une expérience unifiée de la pensée et de l'expérience.

Avant tout, comme le disait encore Bachelard, il faut sortir de «l'impasse où nous mènent les mots et les choses».[11] En effet, le savant, l'artiste, l'homme de la rue sont tous confrontés d'abord par les «choses», c'est-à-dire par l'expérience des existants qui se réalise en premier lieu, historiquement et comme possibilité récurrente, dans une dimension non-verbale. Et chacun d'entre eux doit vaincre inlassablement «l'obstacle verbal» pour retrouver sa véritable relation au réel.[12].

Piaget a ouvert la voie à une réconciliation possible des constats de la connaissance commune et de ceux de la pensée scientifique, en déterminant les modalités du processus même de l'acquisition de la pensée et de l'expérience du réel dans les débuts de la vie humaine. Et il est apparu que les «vérités», les «évidences» auxquelles tient le plus le sens commun et qu'il voudrait opposer aux découvertes de la pensée scientifique ne sont que le résultat tardif de son évolution biologique, depuis les premières années de sa vie, jusqu'à certaines émergences qui se sont cristallisées entre sa 9e et sa 12e année, mais qui ne peuvent certes prétendre constituer le stade final de ses possibilités humaines d'évolution.

Les observations de Piaget sur l'élaboration de la notion d'espace se sont déroulées en deux phases, qu'il faut constamment distinguer d'ailleurs: a) la phase de l'expérimentation du réel et de la constitution de la notion d'espace et b) la phase de l'élaboration des «modes de représentation» de cette expérience préalable. Ces deux phases ne pouvant, par la nature même des modes de représentation, que demeurer inéluctablement divergentes.[13]

La contribution décisive des travaux de Piaget réside en effet dans la démonstration du caractère tout à fait différent qui existe entre l'expérience du monde que fait le sujet humain et les différents systèmes de représentation qu'il élabore pour en prendre conscience et établir une communication avec les autres sujets humains. Ces expérimentations soulignent irréductiblement le caractère illusoire de toute théorie de la communication fondée sur l'hypothèse de la «transparence», c'est-à-dire d'une adéquation immédiate entre l'expérience, sa représentation et son expression, quel que soit le médium utilisé : gestualité, langage verbal, art ou mathématique.[14]

L'expérience non-verbale est soumise à des étapes différenciées qui laissent chacune leur marque dans l'archéologie de l'être, aussi bien pour Piaget que pour Freud d'ailleurs. Au début se réalise *l'assimilation* des stimuli sensoriels par l'organisme de l'enfant, qui croit les diriger et les faire naître, «tout en s'ignorant lui-même en tant que sujet».[15] Cette prolongation d'un état subjectif d'omnipotence, par lequel l'être se situe comme source des émergences qualitatives et quantitatives du réel, sans être conscient du caractère individuel, partial et spécifique de son exploration, demeure l'une des tentations perpétuelles du sujet humain qui cherchera à donner à sa découverte sélective du réel un caractère global et universel, généralisé ensuite à tous les sujets humains. Dans ce processus primaire, l'objet externe qui vient se situer dans le champ d'expérimentation sensorielle du sujet est simplement perçu comme «chose à sucer, à regarder ou à saisir»[16] c'est-à-dire comme chose qui ne tire son poids d'existence que par la manipulation sensorielle d'un sujet, lequel est uniquement motivé par le principe du plaisir. Le sujet n'est pas conscient que les modalités de cette relation «d'assimilation» dépendent tout entières de sa structure de perception/réaction au monde, laquelle est conditionnée par son histoire génétique et son expérience fœtale et post-natale.

Ce type de relation aux objets, lié à la dynamique spécifique du stade oral freudien, modèle un certain nombre de théories esthétiques, qui voudrait ménager, au coeur du réel, notamment dans le champ de l'art, un type d'expériences qui puissent satisfaire d'abord et avant tout le besoin d'omnipotence enfantin, mais en comblant les organes sensoriels récepteurs, en les «remplissant» d'un corrélatif agréable de matière/texture/couleur que le sujet croit élever à la dignité de l'existence esthétique par la simple attention qu'il lui porte. Il ne les insère dans ses processus de perception, comme le nourrisson, qu'à partir d'une confuse application du principe de plaisir dont il n'aperçoit pas le caractère subjectif et personnel.

Cette esthétique de la «rumination» qui ne tend qu'à établir un rapport d'assimilation entre le sujet et l'oeuvre d'art voudrait épargner au sujet: a) la conscience de lui-même en tant qu'opérateur d'une perception définie, b) la conscience de l'altérité de l'objet de la perception et c) la conscience de la nécessité d'une intervention opératoire, qui situe l'expérience dans le champ d'une élaboration systématique et continue du «réel». L'objet d'art n'aurait comme fonction que de renforcer une expérience autique, gratifiante, à partir d'une négation de *l'altérité* de la chose «artistique», englobée dans l'immanence du réel, (sauf pour la réserve qu'elle serait plus «belle» que d'autres), doublée d'une négation de l'altérité du sujet humain qui l'a produite. Cette «assimilation» qui voudrait confondre l'expérience de l'oeuvre d'art aux sensations d'un moi qui s'ignore lui-même, ainsi que les caractéristiques de sa fonction perceptive, est essentiellement conservatrice, cherchant à soumettre l'oeuvre aux besoins de l'organisme récepteur, à partir de ses caractéristiques à une époque donnée, selon les désirs de l'omnipotence. En d'autres mots, l'art devrait devenir ce champ de compensation narcissique dont l'expérience de la réalité a rapidement évacué l'enfant. Bien qu'elle n'ait su se maintenir que quelques semaines chez le nourrisson, la croyance ou plutôt la nostalgie de l'omnipotence demeure l'un des facteurs permanents régissant la dynamique des expériences humaines, cherchant inlassablement sa vérification, son accomplissement, en-dehors de tous les constats issus de l'expérience du réel. En n'étant reliée cependant qu'à ses désirs de compensation largement illusoires, tel cet accomplissement symbolique de l'omnipotence, l'oeuvre d'art perdrait toute capacité de fournir aux êtres humains l'apport d'assises fécondes à la découverte et à la réalisation du moi dans le champ du réel. Avant que le processus d'assimilation ne se conjugue dialectiquement avec le processus ultérieur de *l'accommodation* chez l'enfant, selon Piaget, le champ de l'expérience demeure une «indifférenciation chaotique» où «le monde extérieur et le moi demeurent indissociés au point que ni objets ni objectivations spatiales, temporelles ou causales ne sont possibles».[17]

Ce sont d'autres caractéristiques que tendrait à revaloriser un autre type de discours esthétique, voué certes à retrouver la plénitude de l'omnipotence, mais à partir cette fois d'une volonté de rejet des structures psychiques qui se sont développées simultanément à la décision de «survivre» de l'enfant, sur les débris de l'échec de l'omnipotence. L'acceptation du constat de l'existence d'une réalité extérieure ne peut se faire chez l'être humain, en effet, qu'à partir d'une intériorisation de plus en plus poussée du moi. Elle résulte dans la formation de catégories subjectives qui enserreront ce réel et le rendront manipulable, contrôlable par le sujet, en particulier des notions d'objet, d'espace, de causalité et de temps. Ces catégories se formeront pendant la période dite «d'accommodation» de l'enfant, où le moi tend à se situer dans un monde stable et conçu comme indépendant de l'activité propre du sujet. C'est-à-dire que les schémas d'organisation du réel élaborés par le moi sont alors perçus comme appartenant au *réel* lui-même, comme des éléments de l'altérité objective.

Cette inconscience du sujet par rapport à ses activités organisatrices propres dans le champ du réel, apparaît certes comme une conséquence extrême du traumatisme de l'omnipotence, qui conduit à une négation non seulement de tout «pouvoir» du sujet, mais de la connaissance/conscience de la spécificité de son comportement par rapport au réel. Si le réel ne se plie pas à tous ses désirs, pense l'enfant, il s'ensuit que ce réel est hétérogène, indépendant et soumis d'aucune façon à l'action du moi. Cette réaction simpliste et extrémiste, qui refuse de prendre conscience du type de liaison qui organise les relations du moi avec le non-moi et dote le «monde connu» d'un fondement objectif irréductible, s'opère d'autant mieux que le sujet réservera dans son psychisme des lieux privilégiés où pourrait se satisfaire le désir d'omnipotence. C'est-à-dire où, face à la causalité et à l'espace/temps, l'on prétendra vouloir réaliser les exigences de l'omnipotence: soit une libération de la causalité (par la croyance à la magie) de la nécessité de l'existence dans un lieu et un temps donné (désir d'immortalité, etc.). Les structures mêmes qu'impose au réel l'expérience du sujet sont taxées d'être des «illusions». Les modes opératoires de l'esprit humain, pour n'être pas tout-puissants, deviennent objets de suspicion et de mépris, car ils ne peuvent satisfaire à l'alternative utopique: ou le moi est tout-puissant ou il n'est qu'illusion — ou la réalité est toute-puissante ou elle n'est qu'illusion.

À partir du donné immédiat de l'expérience de l'adulte, Piaget s'est d'abord posé la question de savoir si l'enfant conçoit et perçoit les choses comme le fait l'adulte occidental, sous forme d'objets «substantiels, permanents et de dimensions constantes». C'est-à-dire est-ce que l'enfant perçoit les choses et les pense à l'intérieur des coordonnées qui constituent la notion de «substance». Cette notion voudrait que l'objet demeure essentiellement le même et toujours isolable des autres, en dépit des variations produites par les changements dans les «accidents» de ces substances, soit le changement de position, de perspective, d'interrelations avec des éléments avoisinants, ou de situation dans le temps.

Ces caractéristiques de la substance sont celles qui sont indissolublement liées à la notion même d'«objet», à l'intérieur de la physique newtonienne. Et l'ensemble des relations posées entre les «objets substantiels» fait surgir une conception spatiale spécifique. En outre, cette notion d'«objet substantiel» est utilisée comme critère ultime et corrélatif du jugement d'existence, pour l'établissement du répertoire, du catalogue de ce qui peut et doit être inclus dans la notion d'altérité, dans ce non-moi soigneusement pré-défini afin d'être mieux contrôlé.

Dans cette vision rassurante, l'hétérogénéité du réel s'offre sous l'aspect d'un univers «extérieur» au sujet et indépendant de lui, stable dans ses éléments constitutifs, ne subissant de modifications que superficielles, contrôlées d'ailleurs par la loi de la causalité. Celle-ci distingue toujours soigneusement les choses entre elles, définit leurs «limites», les ordonne rigoureusement au sein d'une notion schématique du temps et selon des possibilités restreintes de transformations.

Les expériences de Piaget ont particulièrement démontré que l'élaboration de la loi de la causalité, qui résulte des processus d'accommodation de l'organisme à l'environnement et qui exige la formation de la notion d'objet, constitue un moment d'un processus historique à travers lequel le moi cherche à cerner et domestiquer un 'non-moi' hétérogène. La structure simpliste du concept de causalité qui se satisfait de l'établissement «d'une cause» à «un effet» a été radicalement mise en question, dès le moment où la connaissance scientifique a dû y substituer le concept pluriel de la «multiplicité des causes». Le monde cesse alors d'être un spectacle «rationnel», mécanique, se déroulant selon des voies linéaires.

La réintroduction de la notion de multiplicité aussi bien dans les transformations, les effets, que les origines des «événements» qui surgissent dans la réalité externe, redonne à celle-ci les caractères mêmes qu'elle présentait au moi enfantin, dans sa première période d'adaptation au monde par le processus d'assimilation. La notion de «l'objet» stable, autonome, bien cerné et identifié explose, car l'événement ne peut plus se définir que par la reconnaissance de ses interrelations avec un nombre plus ou moins étendu d'événements complexes qui l'entourent.

Au lieu de confronter un «monde d'objets», l'organisme se retrouve alors comme l'enfant, devant un «monde de tableaux»[(18)], où les ensembles énergétiques peuvent être plus ou moins connus et analysés, qui apparaissent ou disparaissent selon les rapports spécifiques de l'observateur. Celui-ci découpe des «ensembles», des totalités restreintes et variables dans le tissu du réel, selon ses intérêts moteurs ou psychiques propres. Ce retour à des modes de perception, analogues sur bien des points à ceux qu'utilise en premier lieu l'enfant, revalorise en même temps l'importance de l'activité du sujet comme moteur de la «construction», de la perception de ce réel, en même temps qu'il détruit la conception que peut avoir de lui-même ce sujet, en tant que source stable, permanente et invariante d'activité perceptrice. Car le moi n'avait pu se concevoir comme «objet/sujet» fixe, qu'en se modelant sur la projection qu'il avait faite d'images fixes et stables dans le monde extérieur. Si les «objets» du monde extérieur perdent leurs caractéristiques de substances autonomes, le moi du sujet ne pourra à nouveau, comme le moi assimilateur de l'enfant, que s'absorber dans la perception de ces «tableaux externes» qui se succèdent dans son expérience. Il lui faudra les relier entre eux à partir de coordonnées spatiales différentes de celles de la géométrie des formes isolées d'Euclide. Ces nouvelles coordonnées, dans l'expérience subjective, ne pourront qu'être soumises, dans une grande mesure, aux déterminations subjectives du principe du plaisir, fondées sur l'immédiateté, la proximité et la satisfaction.

Piaget décrivait cette permanence de l'assimilation à l'intérieur du trajet de l'enfant engagé dans une phase d'accommodation superficielle ainsi:

> «Considérée sous l'angle social, cette assimilation déformante consiste (...) en une sorte d'égocentrisme de la pensée tel que celle-ci encore insoumise aux normes de la réciprocité intellectuelle et de la logique, recherche la satisfaction plus que la vérité et transforme le réel en fonction de l'affectivité propre.»(19)

À partir de la «déconstruction» de l'objet, l'expérience esthétique, qui n'a pas de buts pragmatiques immédiats, peut rendre aux processus d'assimilation une dynamique nouvelle au sein des processus d'accommodation qui avaient pu prévaloir à partir des exigences de la survie pratique.

Mais pour connaître les trajets les plus souples qui vont maintenant s'établir entre le moi et le non-moi, qui définiront les véritables coordonnées de l'univers qu'élabore le sujet, il faut préciser les sources de satisfaction que possède l'organisme humain à des niveaux tout à fait fondamentaux, préalables aux orientations vers les «objets» libidinaux précis, tels qu'ils ont été décrits par les schémas de la psychanalyse.

C'est dans cette zone de réflexion qu'il faut situer les recherches du psychanalyste et historien d'art, Anton Ehrenzweig, qui s'est appuyé justement sur les travaux de Piaget pour élaborer une théorie de la perception qui valorise au premier chef les structures de la vision syncrétique de l'enfant, avant huit ans, c'est-à-dire avant que la période de latence affaiblisse trop fortement ses liens libidinaux avec la réalité. Loin d'être atomisée, parcellisée dans le schéma d'«objets», cette vision est essentiellement globalisante et «comprend tout l'ensemble qui reste indifférencié quant aux détails qui la composent».[20] En particulier, cette vision ne tient pas compte des détails abstraits qui fourniraient l'image d'«un» objet, non plus que de la constitution des «patterns» différenciés, plus denses, plus simples, plus cohérents qui constituent pour l'adulte une «figure sur un fond». Dans cette expérience de perception, chaque élément est valorisé et aucun ne subit ce traitement de «néantisation», par lequel il ne serait plus que le repoussoir qui mettrait en valeur d'autres formes singularisées.

Ce type de vision syncrétique et indifférenciée qui n'aboutit pas à la formation «d'objets», et qui est caractéristique de la perception enfantine, serait ultimement celle du savant et de l'artiste.[21] Loin d'aboutir à des indéterminations totales, déclare Ehrenzweig, «... le syncrétisme peut être aussi précis, sinon plus, que la confrontation analytique de détail». Il poursuit : «Je montrerai que la vision indifférenciée est au total plus pénétrante pour balayer les structures complexes. Elle les traite toutes avec une impartialité égale, si insignifiantes qu'elles paraissent à la vision normale».[22]

Cette vision dite «normale» serait celle dont la théorie de la Gestalt a voulu montrer les lois de fonctionnement, mais qui loin d'opérer «en nous dès la naissance» serait de formation «relativement tardive».[231] Ce comportement perceptif adopté peu à peu, à partir de la période de latence, et axé sur des «patterns abstraits généralisés» ne détruit pas cependant les premiers modes de perception, mais s'y ajoute en instaurant dans l'être des conflits importants, «un clivage profond qui ne sera jamais entièrement résolu».[24] Ce clivage serait la source dynamique, en un sens, de toute l'évolution ultérieure de l'homme, car «le développement d'images nouvelles dans l'art et de concepts nouveaux dans la science se nourrit du conflit de deux principes structuraux différents».[25] Le triomphe total du principe de vision gestaltienne entraîne des limites extrêmes à toute créativité, mais il n'est ni fatal, ni irréversible. De fait, note Ehrenzweig, peut-être l'enfant pourrait garder dans l'adolescence et l'âge adulte, ses réflexes syncrétiques, si on prenait soin de l'entourer d'oeuvres d'artistes contemporains, tels Klee, Miro ou Matisse.[26] Inutile de souligner à quel point cette nouvelle conception de la fonction esthétique déborde largement les concepts traditionnels sur les buts de l'art, puisqu'il s'agit maintenant pour l'activité artistique, de recréer ou de transformer les structures habituelles de la perception.

Cependant Ehrenzweig est extrêmement avare de descriptions sur les principes structuraux de la vision syncrétique, productrice d'un contenu formel qui «nous donne l'impression d'être vide, vague et généralisé» et dont le contenu concret serait souvent «inaccessible et inconscient»[27]. Ceci résulte sans doute d'une identification préalable, un peu rapide, entre les contenus de la vision syncrétique et ceux mêmes de l'inconscient, avant que les processus primaires de déplacement, condensation, etc. aient produit un minimum de formalisation aux niveaux du rêve, de la projection, des symptômes, etc.

Le réductionnisme propre à la théorie psychanalytique entraîne Ehrenzweig à décider du «contenu» propre à la réalité plastique, en faisant l'économie totale d'une analyse des éléments qui la constituent. Il déclare, en effet: «Néanmoins la réalité plastique de notre perception extérieure est en relation directe avec la richesse de la fantasmagorie inconsciente».[28] Le terme de «fantasmagorie» implique déjà un niveau de formalisation imageante ainsi qu'une certaine confusion entre «l'informel de l'inconscient», soit les structures formelles à travers lesquelles il émergerait à la conscience et le caractère «informel» d'un certain type de projection plastique qui n'est qu'une variation sur le formalisme. Le lien causal étroit établi entre la fantasmagorie inconsciente et le contenu de la réalité plastique ne devrait pas dispenser de s'interroger sur les structures qu'acquerra la réalité plastique ainsi amenée au jour par les pulsions libidinales. À ce niveau, Ehrenzweig semble se contenter d'une variante du processus de l'écran paranoïaque, déjà proposé par Léonard de Vinci et adopté par le surréalisme: «Si nous voulons marquer les différences subtiles dans la forme abstraite, nous devons y projeter une signification fantastique».(29)

Si l'on veut bien admettre que toute perception des différences formelles sur la surface de la toile ou au sein d'un objet sculptural résulte de l'activation d'un processus émotif, comment la projection d'une «signification fantastique» pourra-t-elle être cependant assez régulière, dense, compacte pour assurer à l'oeuvre cette présence globale, sentie dans chacune et toutes ses parties, qui demeure pour Ehrenzweig une condition nécessaire à l'existence de l'oeuvre d'art? Car «... s'il est une impossibilité pour l'artiste, c'est précisément de diviser le plan du tableau en aires signifiantes et insignifiantes»(30). Tout ce qui demeurerait «insignifiant» sur la surface du tableau constituerait un réseau d'inégalités, de densités, de «trous», qui ne sauraient satisfaire ni l'artiste, ni le percepteur.

D'autre part, ce résultat de densification doit-il être réalisé par le processus seul de perception du spectateur? Ou la réalité plastique de l'oeuvre ne doit-elle pas être construite de façon à «favoriser» une telle perception? La réponse pratique d'Ehrenzweig est nette, puisque le combat qu'il mène contre les théories de la Gestalt se fonde justement sur le fait que la dynamique formelle qu'elles dévoilent et peut-être cherchent à renforcer, est antithétique aux trajets premiers et fondamentaux de la vision enfantine et de la vision syncrétique. La Gestalt souligne, en effet, l'hégémonie des formes fermées, obtenues d'ailleurs en complétant des patterns souvent morcelés; elle tend à dévaloriser la fonction structurelle et expressive des formes et des rythmes «ouverts». Ce «réflexe de clôture» acquis tardivement par le percepteur est néfaste et de toute évidence, la production de ce type de formes fermées par l'artiste ne peut être fructueuse pour l'émotivité humaine. Une démarche de retour à la vision «vague et généralisée» est absolument essentielle pour Ehrenzweig: «Il faut détruire subjectivement la bonne gestalt, même si le matériel à manier possède objectivement des qualités de bonne gestalt»[31]. Cette extraordinaire recommandation, qui suggère à tout percepteur de refaire le trajet cézannien, est certes destinée à la déconstruction de toutes les données de base qui fondent la notion de l'objet euclidien. Elle n'est pas complétée cependant de prévisions, quant aux nouveaux modes d'organisation, dont il sera tout à fait impossible de ne pas doter la multiplicité des stimuli recueillis par le «balayage» du champ visuel. Ehrenzweig en est bien conscient, puisqu'il rend hommage à la théorie de la Gestalt d'avoir démontré que la perception visuelle ne s'offre pas comme une mosaïque éclatée et punctiforme de stimuli isolés et isolables les uns des autres. De fait, toute perception s'effectue, même vis-à-vis d'un monde de «tableaux», à l'intérieur de dynamiques organisatrices, que Piaget a décrites sous le nom de «groupements topologiques».

Sans prendre la peine de les discuter ou de les réfuter, Ehrenzweig se contente de suggérer un processus d'organisation dont les composantes ne sont pas davantage approfondies. Il s'agit de percevoir des modulations, vibrations, soulèvements, gonflements de la surface picturale, soumis à la loi de l'instabilité, mais à l'intérieur d'un espace dérivé du Cubisme. «L'espace pictural contemporain, dit-il, fait saillie vers le spectateur et va jusqu'à l'envelopper de son étreinte».(32) On notera la juxtaposition de termes de description spatiale et de termes à connotations «paranoïques», issus du discours qui entoura l'Action Painting. L'insuffisance de cet appareil théorique qui réduit le «nouvel espace pictural» à une «ondulation du plan pictural vers l'intérieur et l'extérieur»(33) est manifeste et conduira bientôt Ehrenzweig à sa propre «loi de clôture». Soit sa conclusion à l'effet que «l'art moderne se meurt»(34) depuis la fin de «Pollock et de son école» (sic)(35) sous la responsabilité maléfique du souci organisationnel de Hans Hofmann(36), auquel Ehrenzweig a pourtant emprunté sa notion de «l'avance-recul» pour fonder la perception nouvelle de la surface picturale.

Il faut malgré tout signaler l'importance accordée par Ehrenzweig, parmi l'ensemble des moyens picturaux, aux mécanismes du «gribouillis», générateur de formes ouvertes et de rythmes fondamentaux, prolongé dans l'art adulte par les effets irréguliers de la «texture», qu'Ehrenzweig décrit comme «le symbolisme le plus chargé d'importance pour l'inconscient».(37) Il insiste encore davantage dans la préface à la 2e édition de la traduction française de «L'Ordre caché de l'art» sur l'importance de ce concept: « Les toiles du nouvel Art Américain ont grossi les textures traditionnelles jusqu'à les faire devenir les éléments compositionnels les plus importants et ont ainsi corroboré la reconnaissance que j'avais faite de leur signification structurelle».

Nous chercherons justement à démontrer dans la suite de cet ouvrage que les textures, les «taches du pinceau», en un mot tout ce qui reprend la dynamique du gribouillis, sont toujours insérées dans des schémas organisateurs topologiques, nombreux et variés, seuls capables dans leur conjonction de révéler les mouvements pulsionnels fondamentaux de la libido logés encore dans la zone inconsciente, ou pour mieux dire, dans la zone préconsciente.

Le combat méritoire de «libération culturelle» mené par Ehrenzweig en vue d'une meilleure saisie de l'Expressionnisme abstrait américain demeure limité en vertu de l'ambivalence permanente maintenue vis-à-vis des structures organisatrices de l'expérience. D'une part, il réclame une dé-différenciation, une déconstruction, une fragmentation du champ visuel gestaltien, par le moyen du «scanning» inconscient, de la vision périphérique, etc. Mais il pose en même temps que l'expérience d'un chaos, du morcellement du champ de la réalité, se vit le plus souvent dans une angoisse persécutrice et dépressive, souvent grave pour l'équilibre émotionnel.(38) Et dans cette voie, contre toute cohérence théorique, on le surprend à vanter le caractère «plus sain» du réalisme traditionnel.(39) Cette contradiction véritable posée à l'intérieur des besoins humains: dé-différenciation vs différenciation, ne fait ici l'objet d'aucune synthèse fructueuse; elle ne peut, semble-t-il, se résoudre que «par un miracle», dans des cas exceptionnels et temporaires.

Ce pessimisme foncier sur les possibilités d'évolution de l'organisme humain apparaît naturel et inévitable chez quiconque pose a priori la théorie du «manque» psychanalytique. Mais il ne devrait pas obliger à escamoter les étapes les plus importantes dans l'évolution de l'art au XXe siècle. Ce n'est pas dans les années 40, mais bien au début du siècle que Malevitch et tous les pionniers de l'art abstrait ont proclamé, après le Cubisme, «la mort de l'objet». Ce qui apparaît comme le terme d'une démarche difficile pour Ehrenzweig, soit la déconstruction de la notion d'objet, est un «acquis» pour Malevitch, la pierre angulaire d'une évolution qui n'a cessé de se poursuivre depuis lors: «Les Cubistes, grâce à la pulvérisation de l'objet, ont quitté le champ de l'objectivité et ce moment a marqué le début de la culture de la pure peinture».[(40)] Et le Suprématisme du «monde sans objet» n'a pas à reprendre cette démonstration: «En parlant de non-objectivité, je voulais seulement attirer l'attention clairement sur le fait que dans le Suprématisme, on ne traite pas des choses, des objets, etc. et c'est tout...».[(40)]

C'est-à-dire qu'une fois écartée la prééminence de la notion d'objet euclidien, l'esthétique, comme la psychologie ou la psychanalyse, devrait porter sa recherche sur la dynamique même qui préside à la formation de tout objet et plus encore sur les modalités du mouvement pulsionnel, même contradictoire, qui relie les nouveaux «objets plastiques» au sujet qui les pose.

La notion d'objet se trouve alors transcendée et intégrée dans une visée qui peut rendre compte des véritables trajets dynamiques de l'homme vers le réel. Soit la notion d'«espace», conçue comme une synthèse particulière et évolutive, construite par l'explicitation des trajets émotifs de l'homme vers ses pôles symboliques. C'est sur la base des recherches de Piaget que nous voudrions établir les fondements d'une esthétique qui puisse rendre compte de l'évolution de l'art à l'époque contemporaine, depuis la proclamation suprématiste du «monde sans objet» et qui s'appuie sur les premières données de la construction de l'espace par l'organisme humain.

Chapitre II

Construction de l'espace

Toute notion d'espace est une construction de l'organisme humain mis en rapport avec son environnement. Elle n'est jamais une donnée sensorielle simple, qui puisse être l'objet d'une perception. Telle est sans doute la conclusion la plus importante que Piaget a tirée de l'observation du développement génétique de l'enfant et qui rejoint non seulement nombre de conceptions scientifiques actuelles, mais plus directement l'intuition fondamentale de l'art visuel depuis la fin du 19e siècle.

Cette nouvelle notion de l'espace implique une négation de la conception cartésienne de l'espace qui identifie celui-ci à «une étendue», et qui est encore largement véhiculée par le vocabulaire du sens commun. Une «étendue» fait partie d'un espace; à aucun moment suffira-t-elle à en constituer un. L'espace est une synthèse coordonnatrice d'un certain nombre de stimuli ou de variables. En modifiant ces variables, on obtient un espace de type différent, comme nous l'a montré la mathématique moderne en élaborant des espaces à trois, quatre ou «n» dimensions, le terme de «dimensions» étant ici équivalent à «variables». C'est pourquoi il faut considérer la notion d'espace comme éminemment plurielle. Il existe, de fait, de très nombreux espaces, comme il existe de nombreux types de temporalité: psychologique, physiologique, astronomique ou microphysique.

Le caractère fructueux des travaux de Piaget provient des descriptions minutieuses qu'il a faites du processus de construction du réel et de l'espace chez l'enfant, à partir des «tableaux» fugitifs et instables que son expérience élabore à ses débuts. La complexité de ses observations sur la construction de l'espace chez l'enfant, qui sera complétée plus tard par des mécanismes de représentation des espaces expérimentés, résulte du fait que la construction progressive des rapports spatiaux se poursuit sur deux plans bien distincts. D'abord un plan perceptif qui résulte de l'activité sensori-motrice de l'enfant et qui donne naissance à un certain nombre d'espaces organiques: buccal, postural, auditif, kinesthésique, etc. En second lieu, une interaction progressive et simultanée provenant d'un travail intellectuel et représentatif, ajoutera à l'expérience pratique des espaces antérieurs, des éléments très nombreux, afin qu'une certaine cohérence s'établisse entre ces divers types d'espace au niveau des images internes/externes du réel.

À partir de ses besoins et de ses activités motrices, l'enfant constitue des champs de sensibilité qui génèrent des expériences profondes, regroupant, dans le temps, des ensembles de stimuli et de satisfactions: c'est ce que Piaget appelle des «espaces». Le plus important et le mieux connu est sans doute l'espace gustatif ou «buccal» qui structure les relations les plus primordiales de l'enfant avec son entourage. Pour être moins élaborés et susceptibles d'accéder à la conscience, les autres champs de la conduite enfantine, constituant des «faisceaux perceptifs», (soit des groupes de stimuli sensoriels plus ou moins stables et coordonnés) engendrent aussi des «espaces» variés et autonomes, dont les caractéristiques dynamiques sont très différentes de l'espace buccal. Il s'agit de l'espace postural, de l'espace kinesthésique, de l'espace tactile, de l'espace auditif et de l'espace visuel. Bien qu'ils soient ouverts les uns aux autres dans l'unité du sujet qui les élabore, réagissant et s'influençant réciproquement au niveau de l'expérience vécue, la totalité des stimuli et trajets spécifiques qui les relient dans chacun de ces domaines de sensibilité demeurent relativement hétérogènes les uns aux autres. Chez l'enfant, comme plus tard chez l'adulte, ils arrivent difficilement à s'agglomérer dans un «espace unique», total et abstrait, qui serait une haute synthèse des possibilités spécifiques de chacun, ou au sein duquel chacun d'entre eux pourrait se situer et se réaliser selon ses composantes propres. Sans parler de l'utopique «fusion des arts», l'on connaît les difficultés extrêmes qu'ont rencontrées les chercheurs à découvrir et à décrire de façon cohérente, certaines équivalences permettant de conjuguer les éléments des espaces sonores et des espaces visuels; les autres types de relations spatiales sont trop complexes pour qu'on ait pu même espérer ébaucher une théorie quelconque sur leurs interrelations possibles.

Ces corrélations pourraient peut-être être obtenues, si l'on pouvait déterminer de façon stable, les composantes objectives d'un espace donné, ce qui s'avère très difficile étant donné la dynamique particulière, éminemment «déformante», du mécanisme de la «centration» dans l'expérimentation ou la «perception» d'un espace. Tout trajet de la conscience, du regard, de l'ouïe, des sens internes, correspond à une «centration» et produit une transformation du champ sensible qui en modifie parfois jusqu'à la structure. Ainsi s'exprime Piaget:

> «Nous avons, en effet, pu montrer avec Lambercier, que toute zone centrée par le regard est comme dilatée, toute centration entraînant donc une suré-

valuation relative de l'élément ou du rapport centrés».[42]

Toute émergence d'une forme de représentation dans un champ visuel, évoquant une expérience concommittante d'un espace kinesthésique ou postural, introduit une telle déconstruction des interrelations propres et actives de ce champ visuel, qu'il en détruit les fondements mêmes. Ainsi du fameux mécanisme de «l'écran paranoïaque» qu'Ehrenzweig voulait voir généraliser dans la perception de l'espace pictural, qui introduit à partir des dynamiques de l'espace postural ou kinesthésique des centrations qui désorganisent le champ visuel, en particulier la planéité du champ, le tissu des liens de voisinage ou d'enveloppement, pour faire émerger dans un isolement hétérogène, un faisceau perceptif appartenant à une autre structure spatiale. De la même façon, une centration affectivo-formelle engendrant les coordonnées de l'espace buccal et son pouvoir organisateur propre, désagrègera les liens nombreux que font surgir les déterminismes visuels ou tactiles, les reléguant à un rôle de fond, plus ou moins amorphe et indistinct. En un mot, les expériences sensorielles et motrices qui font émerger les diverses structures propres aux espaces pratiques primordiaux demeurent relativement hétérogènes entre elles. Et les autres organisations spatiales que l'enfant ou l'adulte réaliseront par la suite s'ajoutent à ces premières, pour les refouler parfois dans l'inconscience, mais sans leur enlever leur pouvoir dynamique et émotif.

La fonction spécifique du mécanisme de centration, qui révèle son rôle subjectif d'organisation — en même temps que l'hétérogénéité des conduites perceptives entre plusieurs individus ou du même individu à des temps différents — a permis aussi à Piaget d'établir une distinction très nette entre le produit de la perception et l'activité perceptrice elle-même:

«Mais chaque centration est à elle seule déformante, en tant qu'incomplète et que conduisant à la surévaluation de l'élément centré aux dépens des éléments périphériques de la zone de centration. Le passage d'une centration à l'autre, ou décentration, conduira donc à une correction ou régulation des centrations les unes par les autres, et plus nombreuses seront les décentrations, plus la perception sera objective. Mais cette décentration implique une activité, en partie motrice, qui dépasse la perception pure, puisqu'elle engendre des mouvements de «transports» des données perçues les unes sur les autres, «comparaisons» (ou transports réciproques), «transpositions» (ou transports de rapports) «anticipations» (transports et transpositions dans le temps,) etc.»[(43)]

C'est-à-dire que la perception même de tout «objet» isolé demeure une activité motrice, qui se déroule dans le temps, et qui exige la mise en oeuvre d'une énergétique spécifique. Aucun «objet» ne peut être perçu par une simple réception passive à travers l'oeil de stimuli sensoriels particuliers. Ces mouvements de centration volontaires s'ajoutent et ils doivent composer avec l'instabilité physiologique des images sur la rétine et la mobilité extrême de l'oeil lui-même, face à tout objet stationnaire, nécessaire pour une permanence minimum de l'image sur la rétine, comme le démontrent les recherches récentes sur ce problème.[(44)] Particulièrement importantes semblent être les conclusions qui se dégagent de la forte «impermanence» des images de couleur, qui exigent pour se maintenir dans la perception, des mouvements très nombreux de l'oeil lui-même.

Les caractéristiques propres de l'activité organisatrice «sensori-motrice» a conduit Piaget à reconnaître un «espace» particulier proprement structuré par cette expérience: «Il se construit effectivement, dès les débuts de l'expérience, un espace sensori-moteur lié à la fois aux progrès de la perception et de la motricité… Cet espace sensori-moteur est greffé sur les divers espaces organiques antérieurs».

À partir de l'établissement de différents stages ponctuant le développement sensori-moteur et intellectuel de l'enfant, au cours de ses premières années, Piaget a décrit une longue et lente évolution de l'enfant dans «la construction du réel»[45] dont nous rappellerons les composantes principales, car la notion du réel est l'arrière-fond continu, tacite ou explicite, sur lequel s'élaboreront par la suite toutes les tentatives de «représentation» de ce réel, que ce soit en sciences ou en art.

À partir du 3e stade, les progrès de la préhension, qui lui permettent d'agir de la main sur les choses, conduisent l'enfant à utiliser les relations des choses entre elles pour élaborer des relations spatiales unissant les objets perçus proches de lui, telles les notions d'avant et d'arrière. Il commence à coordonner les divers espaces entre eux, i.e. les différents groupes pratiques de ses actions, l'espace buccal avec l'espace visuel, avec l'espace tactile, etc. Pourtant si dans une conduite pratique, l'enfant peut saisir des objets plus éloignés pour les rapprocher de lui, il n'a pas encore de notion de la profondeur spatiale.

Il s'agit là d'une distinction capitale dont les répercussions sont décisives dans le domaine plastique. La notion de profondeur ou de la distance spatiale est en effet le produit d'une synthèse de l'activité perceptrice et n'est pas l'équivalent de la perception simple d'un avant/arrière. Piaget posera trois conditions comme essentielles à la perception adulte de la profondeur: a) la superposition des objets; b) le nombre des objets qui s'interposent entre l'objectif perçu et le sujet (ainsi une montagne apparaît d'autant plus lointaine qu'une série de collines est donnée entre elle et nous) c) les vitesses différentes des déplacements que nous observons en mouvant notre tête ou notre corps entier, car seuls ces déplacements nous permettent d'évaluer la parallaxe des objets lointains.[46] Cette activité perceptive implique une certaine conception que le sujet se fait de lui-même, comme corrélatif de coordonnées externes: «De telles données demeurent, en effet, dépourvues de significations pour qui ne se situe pas lui-même parmi les groupes de déplacements et qui ne corrigent pas les déplacements perçus par des déplacements proprement représentés.»[47] Piaget comparera l'espace «lointain» perçu par l'enfant, fait d'objets qu'il n'a pas pu encore manipuler, à ce qu'est l'espace céleste pour l'adulte non instruit, ou pour la perception immédiate: une grande nappe sphérique où se meuvent des images sans profondeur, qui s'interpénètrent et se détachent alternativement: le soleil, la lune, les nuages, etc. C'est-à-dire que l'espace «lointain» n'est pas équivalent à une expérience spécifique de la «profondeur».

Par la suite, l'enfant utilisera les schémas acquis pour les appliquer à l'établissement de relations entre les choses elles-mêmes, alors qu'elles n'étaient reliées auparavant que par les rapports de l'action de l'enfant lui-même. Il découvre les déplacements réversibles, la permanence de l'objet caché par un écran, les relations différentes de profondeur, et enfin une perspective. Ce premier espace «perspectiviste» résulte de la découverte qu'aux déplacements de sa tête (et non du corps entier) correspondent des changements dans la forme et la position des objets. Il semble d'ailleurs que l'enfant s'absorbe systématiquement dans la découverte des résultats des rotations de sa tête, qui transforment les choses perçues par les yeux, effectuant ainsi de véritables «expériences de géométrie concrète».[48]

Toute l'activité de l'enfant semble d'ailleurs constituer une expérimentation continue des actions qui lui révèleront les capacités «objectives» des choses, car il les déplace de droite à gauche, les met les unes sur les autres, laisse tomber des objets d'une table et examine soigneusement les trajectoires suivies, construisant peu à peu un champ spatial comme lieu homogène dans lequel les objets se déplacent les uns par rapport aux autres.

En dépit de son expérience pratique indéniable, ce n'est qu'au début de sa seconde année, que l'enfant découvre le rapport spatial de contenu à contenant. Il se met à emboîter systématiquement les objets pleins dans les objets creux et à vider ces derniers pour retrouver les premiers. Alors qu'il a déjà découvert le rapport des emboîtements, des rotations et renversements d'objets, il ne peut encore prévoir les relations spatiales des objets entre eux, ni reconstituer des déplacements invisibles, avant d'avoir pu former en lui-même des «groupes représentatifs», soit la représentation dans l'esprit des relations spatiales entre les choses et la représentation dans son esprit des déplacements de son propre corps.

Il s'avère donc que les premières expériences spatiales de l'enfant ne s'opèrent qu'entre les mouvements du sujet et ceux des objets qui sont dans son prolongement immédiat. Même lorsque l'enfant plus âgé complètera cette expérience par celle des «espaces lointains» ou des «espaces en profondeur», la primauté du rapport avec «l'espace proche» n'est nullement mise en question, car il demeurera toujours le lieu par excellence de l'expérience immédiate, sensorielle, motrice ou émotive.

Les caractéristiques ou structures de «l'espace» ne dépendent pas du nombre ou de la précision plus ou moins étendue des sensations que l'organisme humain éprouve devant la réalité, mais d'une opération propre à l'intelligence, qui relie ces sensations dans divers types d'ensembles. De même, les perceptions des choses ne sont pas des éléments premiers, qui seraient ensuite soumis à une manipulation de l'intelligence; elles sont le résultat même de l'activité intellectuelle. L'espace ne peut donc être perçu comme une réalité séparée de l'ensemble du travail de l'esprit. Piaget s'exprime fermement en ce domaine:

> «L'espace est donc l'activité même de l'intelligence en tant qu'elle coordonne les tableaux extérieurs les uns des autres»[(49)]

Et paradoxalement, le caractère graduel de «désubjectivation» du monde ou de «consolidation» du champ spatial externe résulte lui aussi tout entier de la prise de conscience subjective de l'enfant, à mesure qu'il procède à une «élimination graduelle de l'égocentrisme inconscient initial et l'élaboration d'un univers au sein duquel le sujet se situe lui-même»[(50)]

La reconnaissance du processus graduel de l'élaboration des «espaces», ainsi que le rôle crucial joué à cet égard par l'activité intellectuelle, relativise l'importance de ce type d'espace abstrait qui sera schématisé dans la géométrie euclidienne, qui ne peut certes prétendre, comme il l'a fait longtemps dans notre culture, constituer la forme nécessaire de toute perception bien adaptée au réel.

Il serait très difficile en outre de soutenir que la perception de l'espace «euclidien» procède d'un héritage ancestral qui nous serait transmis par voies héréditaires car, d'une part, nos ancêtres primitifs, pour ce que nous connaissons de leur expérience spatiale, ne semblent pas l'avoir privilégiée de quelque façon. Beaucoup plus important encore, ce processus d'élaboration spatiale ne peut être à ce point «naturel», car l'univers, par ailleurs, n'obéit pas aux lois d'une telle géométrie euclidienne. Ainsi conclut Piaget:

> «Si l'on nous permet une comparaison un peu osée, l'achèvement de l'univers pratique objectif ressemble aux conquêtes de Newton par rapport à l'égocentrisme de la physique aristotélicienne, mais le temps et l'espace absolus du newtonisme demeurent eux-mêmes égocentriques du point de vue de la relativité einsteinnienne, parce qu'ils n'envisagent qu'une perspective sur l'univers parmi d'autres également possibles.»(51)

Comme le notait déjà Malevitch, en 1919, la «perspective cunéiforme», euclidienne, ne correspond pas, par ailleurs, à une expérience réelle de l'espace : l'homme qui avance dans un champ ne sent pas son corps se profiler dans les lignes obliques de cette perspective et ne se sent pas devenir lui-même cunéiforme(52). Cette «perspective», comme son nom l'indique, est un *mode de représentation* possible de l'expérience spatiale, mais ne constitue pas une expérience spatiale en tant que telle. Le destin propre de l'enfant et de l'adulte consistera plutôt en une mise en relations progressive entre les zones de plus en plus profondes et éloignées du réel avec les zones immédiates, à partir des opérations toujours plus intuitives de l'activité interne du sujet, laquelle constituera les «représentations» qu'il se donne du monde.

C'est-à-dire que l'expérience spatiale vécue sera toujours un prolongement ancré dans les espaces pratiques ou organiques fondamentaux que sont les espaces buccal, auditif, visuel, postural et kinesthésique, transformés et structurés par l'apport des opérations intellectuelles. Les modes de représentation de l'espace de l'enfant comme de l'adulte y renverront toujours comme à leur signifié propre, soit à l'expérience vécue de la relation constitutive du monde par l'homme, de ce monde où par ailleurs celui-ci cherche la satisfaction de ses besoins physiques, psychiques et émotifs.

Car on peut certes se demander pourquoi l'enfant cherchera à un moment donné de son évolution mentale à «se représenter» les relations spatiales au lieu d'agir simplement sur elles et avec elles? Ce serait se demander pourquoi il tentera aussi de les concrétiser à travers les divers médiums de l'activité plastique?

Sans quitter le terrain behavioriste, Piaget répondra succinctement à la première question, sans se prononcer jamais sur l'autre:

> «C'est pour communiquer à autrui ou pour obtenir d'autrui quelque renseignement sur une réalité se rapportant à l'espace. En dehors de ce rapport social, on ne voit pas de raison pour que la représentation pure succède à l'action».[(53)]

Il faudrait longuement s'interroger sur les besoins qui poussent l'enfant à entrer dans le «rapport social», à vouloir «communiquer à autrui» et à chercher même des «renseignements sur une réalité se rapportant à l'espace», c'est-à-dire à cette réalité englobante qui est le lieu du rapport du moi avec le non-moi. Ce serait la tâche même d'une psychologie dynamique sur les motivations profondes du comportement humain, capable d'interroger les représentations plastiques à partir de leur langage propre.

Pour éclaircir ce trajet, nous tenterons d'approfondir la problématique de la représentation des divers espaces par l'enfant, qui cernera en même temps les fondements mêmes de l'art abstrait d'aujourd'hui.

Chapitre III

Représentation de l'espace

Bien que Piaget n'ait jamais songé, semble-t-il, à étendre au domaine de la représentation artistique les découvertes qu'il a faites sur la genèse de l'activité de représentation graphique chez l'enfant, il est certes manifeste que ses travaux constituent la première approche scientifique que la psychologie ait élaborée, à part les constatations plus a posteriori de la théorie de la Gestalt, sur ce phénomène.

En tentant de rester le plus proche possible de ses observations, nous voulons tenter de les reprendre et de les compléter dans une dimension esthétique, cette fois, afin de percevoir les fondements qu'ils peuvent offrir à une théorie de l'art contemporain, tel qu'il a évolué depuis les débuts du XXe siècle. Cette extension que nous apportons aux concepts de base si soigneusement élaborés, à travers une expérimentation méticuleuse, par Piaget, ne comporte certes pas une même validité scientifique. Mais nous croyons leurs prolongements non seulement admissibles, mais absolument nécessaires, pour qui veut rendre compte de la création artistique actuelle.

Il ne nous appartient pas non plus de discuter ici de la validité de cette méthodologie particulière, ni des conclusions elles-mêmes auxquelles elle a mené Piaget. Il est apparent cependant que les vérifications empiriques à plus vaste échelle qui ont été faites de ces expériences, tout en ouvrant des problématiques nouvelles, n'infirment pas les données les plus essentielles de sa description générale du développement humain. Nous nous appuyons à cet égard sur les travaux menés par M. Laurendeau et A. Pinard, de la Faculté de psychologie de l'Université de Montréal, qui ont confirmé la validité scientifique des principales notions du psychologue suisse,[(54)] à tout le moins en rapport avec les enfants de la population canadienne-française de la ville de Montréal.[(55)]

Plus précisément, Laurendeau et Pinard ont corroboré la thèse essentielle de Piaget sur l'antériorité de la construction des espaces topologiques chez l'être humain, par rapport aux espaces projectifs et euclidiens, laquelle avait été mise en doute par des chercheurs américains[(56)]. L'intérêt primordial de l'hypothèse de Piaget est qu'elle relie de façon immédiate l'expérience de l'espace revendiquée par le «sens commun» aux structures spécifiques d'un ensemble de géométries. Il rendait ainsi plus manifeste la relation entre l'organisation des espaces picturaux et certaines hypothèses mathématiques, libérant ainsi indirectement la peinture de ce «splendide isolement» où elle prétend se tenir par rapport aux autres formes de la pensée intuitive humaine.

Comme l'expriment Laurendeau et Pinard: «Or Piaget insiste à plus d'un endroit (v.g. Piaget et Inhelder, 1948; Piaget, 1950) sur le fait que l'évolution de l'espace enfantin semble reproduire les étapes essentielles de la construction mathématique elle-même où les structures topologiques sont les plus fondamentales — quoique les plus tardivement découvertes par les mathématiques — et précèdent les structures projectives et euclidiennes qui en dérivent»[(57)].

L'on ne peut que déplorer cependant l'ambiguïté dans laquelle les chercheurs montréalais maintiennent la notion d'espace topologique, lequel, à toutes fins pratiques, ne constitue pas véritablement un «espace», c'est-à-dire la synthèse des relations entre les éléments, mais désignerait une sorte de caractéristique formelle de l'objet isolé lui-même. Ils conservent maintes fois cette tendance à faire de «l'espace» un facteur attaché à «l'objet» lui-même et non la source englobante d'où peut ou non émerger tel ou tel type d'objets.

Ainsi ils écrivent: «Enfin l'espace *topologique* s'appuie sur des rapports purement qualitatifs (v.g. voisinage, séparation, relation d'ordre, fermeture, etc.) inhérents à une figure particulière et reconnaît comme équivalentes deux figures dont l'une est homéomorphe à l'autre en vertu d'une simple déformation continue excluant toute déchirure ou tout recouvrement.»(58)

Et ils répèteront plus loin: «D'une part, en effet, les notions topologiques considèrent seulement les rapports inhérents à un seul et même objet, sans aucune référence extérieure...»(59)

Il est particulièrement apparent que ces auteurs sont ici victimes d'une confusion étrangère à la pensée de Piaget. L'espace, qu'il soit topologique ou autre, ne pourra jamais correspondre à des «rapports inhérents à une figure particulière», à moins que ce singulier se réfère à une pluralité de figures. Et les notions topologiques ne considèrent pas «seulement les rapports inhérents à un seul et même objet», cette unicité ne permettant pas d'établir les rapports de voisinage, de séparation, de succession, ou d'enveloppement. Ces notions impliquent la mise en relation d'une pluralité d'objets dans une forme synthétique qui constitue la spécificité de l'espace lui-même. L'antériorité expérimentale de la notion d'espace, comme forme des éléments regroupés, sur celle d'«objet» isolé est fondamentale dans la recherche de Piaget. Son antériorité logique est nécessaire, sans quoi nulle interrelation ne se réaliserait entre les éléments indistincts et instables qui sont d'abord posés par l'activité perceptive de l'enfant. Un certain processus dynamique construit l'espace et d'autres processus élaborent des «objets» au sein de cette structure d'ensemble. Car comme l'explique Piaget: «L'intuition de l'espace n'est pas une lecture des propriétés des objets, mais bien dès le début, une action exercée sur eux».[60]

Il est important de souligner que les éléments qui dans leur regroupement engendrent un espace, sont dotés de caractéristiques déterminées qui rendent possibles leurs relations propres dans ce type de structure spatiale et non dans un autre. Ainsi la volumétrie essentielle à la constitution de l'objet euclidien interdit à cet objet de participer à la constitution d'un espace non-euclidien. Il n'y a production d'un espace que lorsque et parce que des types particuliers d'éléments sont réunis sous certains rapports. Les notions d'éléments picturaux et d'espace pictural sont donc intimement reliées dans une réciprocité totale, l'un ne pouvant être défini sans l'autre, l'un ne pouvant exister sans l'autre dans le rapport de l'analytique au synthétique.

Cela n'implique pas cependant qu'un objet isolé, même si sa structure est déterminée par le type de spatialité qui engendre ses paramètres, constitue de soi un espace. Cette confusion si répandue entre les notions d'objet et d'espace, symptomatique du sens commun autant que de certaines disciplines psychologiques à tendance behavioriste, entraînera Laurendeau et Pinard à conclure, à l'encontre même de la pensée de Piaget, que l'élaboration des perspectives euclidiennes définissant une certaine primauté de l'objet équivaudrait à «l'achèvement des structures spatiales de l'enfant». Ils écrivent, en effet, que l'espace euclidien équivaudrait à un «espace total», coordonnant les «espaces parcellaires», au lieu de souligner qu'un triomphe d'un certain système ne se réalise que par l'exclusion, la perte des autres structures dynamiques:

> «L'achèvement des structures spatiales de l'enfant exige justement la coordination de ces espaces parcellaires en un espace total. Une telle coordination n'est pas possible sans que se constituent progressivement deux systèmes d'ensembles distincts et complémentaires: a) un système de **coordonnées**, sources de l'espace euclidien... et b) un système de **perspectives**, source de l'espace projectif...»[61]

Cette formulation semblerait exclure un autre type d'achèvement ou de prolongement qui serait l'élaboration d'une synthèse spatiale différente, qui conserverait ses affinités avec les composantes spatiales topologiques et dont les caractéristiques majeures sont d'être intensives, qualitatives et non métriques. Sans doute un développement en ce sens peut sembler difficile à poser pour une analyse scientifique qui ne veut se justifier que par le quantifiable, mais peut-on encore parler là d'une attitude scientifique? Piaget admet lui-même que la perception des rapports topologiques serait peut-être difficile à un expérimentateur «n'ayant rien lu des travaux des géomètres».

Et il précise: «il aurait d'ailleurs peine à (les) discerner lui-même s'il n'avait pas lu Poincaré, Kuratowski, Godeaux, Gonseth et d'autres».[62] C'est sans doute cette absence de «lecture pré-requise» qui rend si inadéquate et superficielle l'approche de la psychologie actuelle à l'égard de l'activité plastique contemporaine. Et certes les pédagogues de l'art enfantin ont autant de difficultés que les psychologues à discerner les structures fondamentales qui sous-tendent le développement de cet art.

Comme nous le verrons par la suite, il demeure que Piaget considère la géométrie topologique contemporaine, qui offre une très grande évolution par rapport à la géométrie euclidienne, comme un prolongement direct de l'expérience topologique de l'enfant; elle est susceptible de donner lieu à des synthèses extrêmement riches, efficaces et abstraites, à partir des démarches implicites dans les premières élaborations spatialisantes enfantines.

L'étude de ces modes de «représentation du réel» chez l'enfant, qu'il ne faudrait jamais confondre avec ses modes de «construction du réel», a été entreprise par Piaget à partir des dessins que réalisent les jeunes enfants des formes géométriques simples, qui s'offrent comme les éléments les mieux observables chez d'aussi jeunes sujets. Il s'agissait pour eux de reproduire graphiquement des formes dont ils avaient fait l'expérience stéréognostique, c'est-à-dire qu'ils avaient reconnues au toucher sans les voir.

Le premier phénomène observé est le décalage dans le temps entre les progrès de la reconnaissance des formes et ceux de leur représentation. En deuxième lieu, il apparaît que le processus de représentation ne s'ancre pas d'abord sur une tentative de mimétisme de ces formes, mais qu'il s'appuie plutôt sur une volonté, un besoin, d'exprimer les conduites sensori-motrices qui ont mené à l'appréhension de ces formes/objets. «Autrement dit, le dessin (et cela est bien connu du dessin spontané au niveau du «réalisme manqué» et du «réalisme intellectuel» de Luquet), comme l'image mentale, ne prolonge pas la perception pure, mais bien l'ensemble des mouvements, anticipations et reconstructions, comparaisons, etc. accompagnant la perception, que nous appelons l'activité perceptive», précise Piaget.[63]

À un niveau encore plus fondamental, la représentation que peut se faire l'enfant à l'intérieur de lui-même d'un élément externe, ne consiste nullement en une «image» mimétique de l'aspect extérieur de cet objet. Cette «image» se présente plutôt comme un symbole, un signifiant de l'ensemble de l'activité perceptive, c'est-à-dire du processus d'assimilation-accommodation plus ou moins poussé auquel l'organisme total a soumis l'élément d'altérité. En d'autres mots, cette «image» relativement schématique et statique n'est que le point de référence d'un processus moteur extrêmement diversifié. Bien qu'elle devienne fonctionnellement indispensable jusqu'au seuil de la pensée abstraite, au début de l'adolescence, cette image interne n'est pas structurée à l'imitation d'une certaine forme apparente de l'objet:

«Mais si indispensable qu'elle soit à titre de support ou de signifiant, ce n'est pas l'image qui détermine les significations; c'est l'action assimilatrice elle-même qui construit les rapports, dont l'image n'est que le symbole. Rien n'est donc plus inexact que de réduire l'intuition de l'espace à un système d'images, puisque les réalités intuitionnées sont essentiellement les actions, «signifiées» et non pas remplacées par l'image».[(64)]

On ne saurait assez souligner l'importance de ces observations, quant au type de perception que doivent commander les «images» produites non seulement par les enfants, mais aussi par les adultes. Le rôle de l'image dans la représentation variera énormément, non pas selon son degré de «perfection mimétique», mais selon sa capacité de «signifier» des processus moteurs complexes. Comme l'exprime Piaget, il variera «selon le degré de structuration des actions virtuelles qu'elle symbolise».[(65)] Ce n'est que lorsque l'action du sujet dans le monde demeure rudimentaire et courte que l'image jouera un rôle plus apparent dans la représentation interne. Cette conception de l'image comme signifiant offre beaucoup d'analogie avec l'hétérogénéité que Ferdinand de Saussure a posé entre le signifiant et le signifié dans le cas du langage.[66] Si elle est plus précise, en ce qu'elle assigne au signifié de l'image un contenu déterminé, à savoir les processus moteurs d'accommodation au réel, elle ne simplifie pas pour autant la détermination de la dimension sémantique, étant donné les difficultés pour le sujet de prendre conscience de ces processus de relation active au réel. De fait, note Piaget, «l'intuition échoue à reconstituer les transformations les plus simples et se borne à évoquer les résultats des actions déjà exécutées matériellement».[67] C'est-à-dire que l'image mentale est particulièrement inadéquate à transmettre ou véhiculer le véritable signifié, n'évoquant dans les meilleurs cas que des bribes d'une expérience arrêtée et non le processus de cette expérience active.

Lorsque les intuitions du rapport actif d'assimilation et d'accommodation sont plus articulées et mieux perçues par le sujet, l'image ne jouera plus qu'un rôle adjuvant de rappel dans la représentation interne: «symbole encore nécessaire, à titre auxiliaire, mais non plus support permanent de la pensée même, elle est déjà en bonne partie débordée par celle-ci».[68] Pour l'action d'adaptation et pour la prise de conscience, l'image mentale jouera et brièvement, non seulement un rôle accessoire, mais par son caractère schématique de signal abstrait incapable de rendre compte de la complexité des processus de l'expérience, elle constituera très tôt un obstacle majeur au développement des potentialités humaines.

Au niveau de ces comportements que Piaget appelle des opérations concrètes (soit «les compositions réversibles qui caractérisent l'action mentalisée») et à celui des opérations formelles, non seulement le rôle de l'image cesse d'être indispensable, mais il est complètement dépassé par la pensée et l'image «devient inadéquate à l'intelligence opératoire».[69]

Il est extrêmement important de comprendre ces concepts de base sur le rôle de l'image dans la représentation mentale, un rôle qui décroît de façon continue et qui s'avère un obstacle radical, si l'on s'obstinait à y faire appel dans le développement de la représentation. L'image ne peut pas constituer un chaînon important dans le développement de la représentation mentale que nous pouvons élaborer sur le monde et elle n'est pas adéquate dans l'expression que nous tenterions de faire de cette représentation, dans quelque langage que ce soit. C'est bien pourtant ce que réclament ceux qui, à l'encontre du développement des modes de représentation spatiale, notamment dans l'art abstrait, cherchent à réimposer l'utilisation de l'image «mimétique» des objets externes. Cette image déjà figée dans ses structures euclidiennes, en dépit de certaines «déformations» que lui ont fait subir quelques artistes, offre peu de moyens de renvoyer à l'expérience concrète du monde. Ce n'est qu'en se transformant radicalement, dans sa structure et ses fonctions, c'est-à-dire en devenant un symbole beaucoup plus souple, assez «abstrait» pour représenter la relation active du sujet avec les objets, fondement même de la spatialité, que la notion d'image pourrait encore jouer un rôle utile dans la représentation picturale de l'espace.

Certains se défendent encore avec vigueur contre tout type d'interprétation esthétique qui semblerait relier l'art et les artistes à des comportements plus évolués, découlant des développements complexes de la sensibilité et de la pensée humaine aujourd'hui, au nom d'une supposée «nature humaine éternelle et statique». Ils conservent de fait une conception ambivalente de la nature de l'artiste et de son activité. Même s'ils lui reconnaissent, à certains moments, une qualité d'annonciateur de nouvelles sensibilités et de nouveaux langages, ils persisteront par ailleurs à considérer l'artiste comme un «enfant», dont la vocation serait d'exprimer une sensibilité fruste, uniquement sensorielle, s'exerçant aux niveaux émotifs les plus simples.

Par contre, il est remarquable d'observer que ceux qui récusent dans l'art enfantin la présence de composantes picturales majeures, directement reliées à l'art adulte de notre temps, invoquent pour cela le caractère plus évolué de la conscience de l'artiste adulte et la fausseté des analogies qui pourraient être posées entre les deux.[(70)]. Pourtant ce sont les mêmes qui refusent de voir dans l'art d'aujourd'hui l'expression d'une pensée et d'une sensibilité formellement évoluées, auxquelles on ne peut se relier qu'en faisant appel à des notions complexes et abstraites.

Il est d'ailleurs significatif, comme le souligne Piaget, que la «représentation» à l'intérieur du sujet d'un espace à la fois interne et externe, ne peut émerger que simultanément à l'apparition du langage et aux débuts de la pensée intuitive et imagique. La participation éminemment étroite des fonctions linguistiques et leur support structurel dans l'élaboration des premières «représentations» de l'espace non seulement rend légitime mais même nécessaire, la jonction d'une conscience analytique des activités linguistiques à la réflexion des artistes contemporains sur les structures de l'espace pictural.

Les premières observations de Piaget ont donc établi dès lors une discontinuité entre l'expérience perceptrice, non-verbale et non-imagique de l'enfant et son activité de représentation. Bien qu'il ait pertinemment acquis, dès l'âge de deux ans, une connaissance pratique de ce que peut être une droite, des angles, un cercle, un carré, etc. l'enfant entreprendra de «représenter» ces relations spatiales, comme s'il ignorait tout des rapports et propositions qui les constituent et qu'il a déjà perçues.

Il ne peut, de fait, construire une représentation spatiale qu'à partir d'intuitions plus élémentaires et plus fondamentales du champ spatial, que l'on appelle les «rapports topologiques». Ces premières formes de mise en relation des éléments du réel dans l'expérience de l'enfant nous sont mieux connues aujourd'hui, bien que leurs propriétés ont commencé à être étudiées au cours du 19e siècle. Ce n'est qu'aux environs de 1915, cependant, que la topologie est devenue une branche distincte des mathématiques et ses développements majeurs datent seulement des années 30.

Les débuts véritables des recherches en topologie mathématique sont attribués à Karl Weierstrass, qui durant les années 1860, analysa le concept de «limite» à l'intérieur d'une fonction mathématique. Après l'élaboration de la théorie des ensembles par Cantor, Henri Poincaré développera la topologie algébrique, qui recevra le nom de «analysis situs», jusqu'à ce que Lefschetz lui donne son nom actuel avec le titre de son ouvrage majeur en 1930.(71)

Ayant pris une extension féconde dans plusieurs secteurs des mathématiques, la topologie est décrite à son niveau premier comme une sorte de géométrie fruste, primitive, rudimentaire, qui sous-tend de fait toutes les autres géométries. Dans le secteur des mathématiques, elle développe les propriétés de l'espace qui demeurent invariantes à l'égard des déformations bi-continues, ou encore selon A. Revuz, c'est la section des mathématiques qui s'occupe de la «continuité».(72) C'est-à-dire que pour la topologie l'espace est conçu comme un ensemble homogène.

Si les rapports topologiques fondamentaux demeurent rudimentaires chez l'enfant et ne sont pas soumis aux transformations formelles extrêmement poussées que leur apportent les mathématiques, ils demeurent des structures extrêmement fortes dans leurs capacités de réunir sous divers modes les éléments de la réalité. Ils seront, de même, traités différemment par l'esthétique dont nous voulons préciser les fondements, sans que ces extrapolations apparaissent téméraires ou prétentieuses. Car il en est certes de même, pour ce qui est des notions de géométrie euclidienne que véhiculent les adultes moyens, comme Monsieur Jourdain faisait de la prose, sans que ces notions aient vraiment subi de développements analytiques et mathématiques importants.

Les rapports topologiques recouvrent en particulier «les concepts de continuité et discontinuité, voisinage, régions et frontières, fermé et ouvert, intérieur et extérieur, disjoint et joint, avec ou sans trou»,(73) tout comme l'enveloppement, l'emboîtement, la succession, la distinction entre la gauche et la droite, le haut et le bas, la limite, etc.

Pour décrire la dynamique première de la représentation de l'espace chez l'enfant, Piaget a particulièrement retenu: le voisinage, la séparation, l'ordre (ou la succession spatiale), l'entourage (ou l'enveloppement) et la continuité. Ces notions que nous allons tenter d'expliciter servent de concepts de base, de fondements ultimes à toute l'expérience de l'espace. Elles s'appliquent non seulement aux modes de relation des formes géométriques primaires fournies par la perception, mais elles formeront la base sur laquelle sera aussi construite plus tard la perspective euclidienne.

Chapitre IV

Les rapports topologiques

Le voisinage

Le rapport spatial le plus élémentaire qui puisse s'établir entre deux «stimuli» externes semble être celui du «voisinage», c'est-à-dire l'établissement/l'affirmation d'une proximité entre des éléments perçus dans un «même» champ. L'efficacité dynamique du rapport de proximité a d'ailleurs été confirmée par les travaux de la Gestalt sur la perception adulte. On peut, en outre, poser que cette intuition du rapport particulier qui s'établit entre des éléments en voisinage, ou que l'on situe dans une position de voisinage, est englobée dans l'intuition subjective du sujet de sa propre proximité à l'objet ou vice-versa. Mais ce dernier rapport n'est pas encore conscient à l'âge où l'enfant utilise comme modèle de relations entre deux stimuli, le fait qu'ils soient vus en «voisinage», c'est-à-dire reliés dans cette modalité d'être posés l'un près/ proche de l'autre. Cette notion de près/proche affirme par ailleurs une relation qui ne se définit pas uniquement au niveau géométrique d'une distance objective, puisqu'elle constitue un resserrement des éléments dans un espace représentatif.

Le voisinage institue plutôt entre des éléments visuels une dynamique particulière qui fait que cette proximité devient une caractéristique importante de leur nature, de façon qu'ils ne puissent plus être conçus comme n'étant pas posés proches l'un de l'autre, que cela soit explicite ou non dans le champ spatial d'ailleurs. Cette relation n'est pas un constat, mais une façon de relier deux éléments de la perception; elle ne s'institue pas nécessairement chaque fois qu'un élément est «objectivement» situé dans le voisinage d'un autre, comme le voudrait un mécanisme sommaire de la perception.

«Définir», «accepter», «poser» que deux éléments sont dans un rapport de voisinage, c'est instituer un type d'interrelations entre eux qui ne se produit pas dans tous les cas de proximité. Un conditionnement psychique complexe fera émerger cette relation à partir d'une suite de centrations particulières entre certains éléments. Parfois cette relation de voisinage s'établira entre des stimuli provenant de champs visuels assez hétérogènes, établissant des croisements entre les vecteurs spécifiques des divers espaces organiques et pratiques déjà élaborés par le sujet.

Si on considère le voisinage comme un mécanisme de la représentation, et non pas comme un processus de perception, il devient manifeste qu'il constitue, en même temps qu'un instrument d'élaboration d'un champ spatial, un fait expressif tout à fait déterminé, rendant compte d'expériences émotives spécifiques, à partir des choix qui sont faits dans l'ouverture primordiale du champ spatial. Car la notion de voisinage qui relie de façon globale et synthétique deux éléments, que l'expérience donc «rapproche», peut agir sur des éléments qui sont: a) plus ou moins éloignés l'un de l'autre sur la surface du dessin; b) ou situés dans des positions variables, vers le haut, le bas, les côtés et c) dotés de qualités ou de proportions similaires ou non. Le rapport de voisinage impose une interaction entre deux éléments qui modifie les caractéristiques «autonomes» de chacun d'entre eux.

Autant la juxtaposition immédiate des frontières des éléments affirment avec une force quasi métaphysique, l'intensité de l'interunion qu'ils subissent, autant le type de voisinage qui s'établit à partir de dynamismes autres que la juxtaposition immédiate rend plus difficile le décodage des dessins d'enfants, autant que celui de l'art adulte. Comme l'exprime Piaget: «Deux éléments peuvent donc être voisins et non séparés, ou voisins et séparés; la séparation étant autre chose que le non-voisinage, puisqu'elle exprime simplement la qualité d'être distinguée par une analyse quelconque (perceptive ou intellectuelle).»(74)

Aussi des différences de chromatisme, de morphologie, de position peuvent subsister entre des éléments sans détruire leur capacité d'être «voisins et séparés». De même, l'indéfinie variété des notions conceptuelles et émotives pourront servir de base à des relations de voisinage, par assimilation ou contradiction, analogie et antagonisme.

La relation de voisinage est donc englobante et tout à fait fondamentale, fondée sur l'opération par laquelle le sujet «rapproche» dans son expérience, des éléments plus ou moins hétérogènes ou «disjoints» avant qu'on les ait réunis comme «voisins». Elle explicite ce que nous avions décrit dans un ouvrage précédent comme la fonction même de l'art pictural, soit d'établir la façon dont deux éléments/objets se rencontrent(75). Avant qu'on ait pu percevoir sur un plan analytique la nature des interactions qui rapprochent deux éléments et qui les transforment ensuite du fait de leur juxtaposition, le phénomène de voisinage est une affirmation majeure de la sensibilité, qui synthétise une «totalité» de l'expérience affectivo-motrice.

Mais il est certain, par ailleurs, à moins de se livrer à des réductionnismes superficiels, qu'un percepteur ne peut présumer qu'il sait «décoder» a priori les liens organisateurs qui ont été mis en oeuvre par le sujet, pour affirmer un voisinage donné. Même les systèmes plastiques théoriques ne sont finalement que des modèles généraux, qui ne s'explicitent dans des dialectiques précises qu'au moment où ils ont été assimilés et longuement expérimentés par un artiste donné. Le plus souvent, les artistes nous présentent des systèmes syncrétiques, tentant de marier des valeurs et des dialectiques étrangères, créant par là des systèmes d'expression à très grandes variables dont le décodage devient extrêmement aléatoire.

Ainsi dans le récit d'un rêve, comme l'a montré Freud, le déroulement linéaire et syntaxique cristallisé dans le langage verbal est incapable de communiquer à l'auditeur, les mises en relation réelles de tel élément du rêve avec un autre, les diversités de densité sémantique qui existent entre un mot et un autre, etc. Seule une connaissance de la théorie psychanalytique elle-même et une connaissance des mécanismes d'expression coutumiers aux processus primaires permet de «déconstruire» le message communiqué par la structure verbale pour atteindre la structure du message inconscient, qui est à la fois externe, étrangère et sous-jacente à la première.

Aussi la décision du narrateur du rêve de reprendre dans une relation de voisinage nouvelle des éléments distants dans le tissu verbal, non seulement ne peut être prise que par lui, mais elle puise à la base du système représentatif mental, parallèle à celui du système verbal, qui habite ce narrateur. La fonction de l'analyste consiste alors à aider le rêveur à déconstruire les structures logiques et sémantiques du langage verbal ordinaire, pour lui permettre de reconstruire les éléments du discours à l'intérieur d'une structure différente.

Si le discours plastique est aussi motivé, comme il serait valable de le croire, par les structures inconscientes du sujet, ou pour le moins par des expériences intuitives dont Piaget a souligné lui-même qu'elles appartiennent au pré-conscient puisque l'intuition ne peut en garder de représentation précise, il y a lieu de poser dès l'abord une dimension énergétique sous-jacente à l'organisation picturale, dont ne saurait rendre compte la grammaire élémentaire actuelle des éléments plastiques.

Même un «voisinage non séparé» peut exprimer une multiplicité fonctionnelle. Ainsi dans le dessin enfantin, il est manifeste que la structure du gribouillis renvoie à une exploration, en vue de la détermination d'un champ visuel, par voisinage simple des traces vectorielles, et d'une distribution des objets et des trajets de l'expérience dans des proximités plus ou moins fortement soulignées. Parfois dans une surface très restreinte, les interrelations de proximité sont tellement rapprochées entre des traces plurielles, qu'elles apparaîtront au regard superficiel comme la projection d'un seul «objet» plus massif et articulé. Pourtant les couches multiples et différenciées dans le temps de ces trajets vectoriels continuent à affirmer pour l'enfant, à chacun de leurs niveaux respectifs, dans une micro-profondeur, une projection tout à fait différente. Le voisinage non-séparé a souvent été réduit à «l'identité» de la substance. Le concept de l'identité est en réalité une «loi de clôture» extrêmement prématurée, qui se refuse à percevoir la multiplicité inhérente au trajet de l'objet dans l'espace-temps.

C'est pourquoi il faut rappeler que le fondement du rapport de voisinage ou proximité n'est pas à proprement parler une dimension quantitative mathématique, ou encore géographique, qui poserait la capacité des éléments de se trouver rapprochés dans un «lieu» exigu et bien cerné. Il s'agit au contraire de l'affirmation d'une nécessité de rapprocher, dans la représentation mentale et affective du sujet, des réalités distinctes et parfois «éloignées» dans l'espace-temps. C'est l'affirmation du voisinage qui créera un «champ spatial commun» pour eux dans le moment où elles les y situera, par l'intermédiaire du médium graphique.

De la même façon, le sujet peut resserrer dans un voisinage des éléments qui paraissent distincts et éloignés sur la surface du tableau, donnant naissance à la notion du rythme que l'on peut décrire comme un ensemble de voisinages séparés. C'est l'ensemble de ces interrelations, étrangères à la «littéralité» du tableau autant qu'à la définition géométrique des éléments dans le réel externe, qui fera surgir un «champ spatial» dans sa structure propre. Ce nouveau champ spatial constitué à travers la manipulation des moyens plastiques, prendra place au sein de l'ensemble des «espaces pratiques, organiques, etc.» antérieurs, qu'il évoquera et revivifiera à partir des prolongements synthétiques qu'il peut leur apporter.

La séparation

Le deuxième rapport topologique qui sous-tend, selon Piaget, la représentation du champ spatial chez le jeune enfant, est celui de la «séparation», qui consiste à dissocier deux éléments voisins, qui peuvent cependant continuer à s'interpénétrer et à se confondre en partie. On pourrait faire une analogie entre cette fonction et l'établissement d'un sous-ensemble dans un ensemble.

La distinction entre le voisinage et la séparation est en effet avant tout dialectique, car le fait même de juxtaposer deux éléments affirment partiellement une séparation préalable, de quelque ordre que l'on veuille la poser. Et le trajet d'affirmer, de marquer la séparation entre deux éléments, au lieu de les maintenir très à l'écart l'un de l'autre ou même de les laisser dans l'absence totale de relation que serait l'élimination de l'un d'entre eux du champ spatial, souligne une qualité de voisinage indéniable. Ces deux relations se définissent à l'intérieur d'une possibilité dialectique de réversibilité.

La relation de séparation se présente donc à un plus haut niveau de complexité, car elle juxtapose une certaine hétérogénéité, distingue et maintient dans une distance ce qu'elle veut malgré tout unir. Comme le voisinage rapproche ce qu'il maintient comme séparé, la séparation écarte, oppose des éléments qu'il maintient unis par ailleurs. L'exemple de la métaphore éclaire aisément ce mécanisme, car elle joint des réalités distantes l'une de l'autre, qui doivent conserver partiellement leur hétérogénéité sous peine de perdre leur capacité informatrice.

L'affirmation d'une séparation et la détermination des facteurs qui la produisent sont des opérations de perception subjectives qui dépendent directement de l'expérience motrice et affective du sujet. Piaget expliquera, par exemple, que lorsqu'un objet tri-dimensionnel est appuyé contre un mur, le bébé le perçoit comme une tache ressortant à peine sur la paroi; il s'agit pour lui d'un voisinage sans séparation.

C'est le type d'activité perceptive que le Cubisme a sollicité du percepteur, lorsqu'il a procédé au collage ou à l'assemblage d'objets tri-dimensionnels, extraits de l'environnement, au sein du champ spatial fictif «bi-dimensionnel» que construisent les éléments proprement picturaux sur la surface d'une toile ou d'un papier. Il s'agissait d'affirmer un voisinage dans ce qui soulève une problématique de séparation. Dans une même continuité, Rauschenberg a aussi, plus récemment, apposé des objets plus ou moins volumétriques, du cintre à la chaise, à la surface peinte du tableau. Pour que soit élaborée l'unité de l'objet global ainsi proposé, il faut qu'une décision du percepteur affaiblisse la fonction organisatrice de la relation de séparation, au profit de celle, plus primitive, de voisinage. Ou bien, de nouvelles notions doivent être utilisées par le percepteur afin d'intégrer dans un champ «spatial» intermédiaire, les composantes structurelles de l'espace pictural et de l'espace sculptural, qui rendraient véritablement réversibles, au niveau intuitif, les fonctions de séparation et de voisinage. Sans ce troisième terme, la relation de séparation ainsi créée ne serait plus un mode différencié de poser le voisinage, mais engendrerait une hétérogénéité difficilement réductible dans le champ spatial.

L'enveloppement

Le troisième rapport topologique servant à structurer la représentation de l'expérience spatiale est celui de «l'entourage» ou de l'«enveloppement». C'est une dimension à la fois quantitative et qualitative, introduisant un dynamisme spécifique dans les rapports de voisinage, qu'il y ait ou non affirmation de séparation (Fig. no 1).

Ainsi dans une suite d'éléments appelés: A- B- C, le terme B est perçu comme étant «entre» A et C. La reconnaissance de ce rapport avec la gauche et la droite ou l'avant et l'arrière, transforme de façon irrémédiable la nature et la fonction d'un élément B. Il introduit en effet un rapport asymétrique interne, du fait de ses interrelations avec deux éléments différents, qui le rendra autre que ce qu'il aurait pu devenir en dehors de cet entourage. En réaction à l'élément A, le B acquiert en effet des caractéristiques qui le scindent d'une certaine façon par rapport à un axe idéal, à partir duquel il se transforme différemment par l'impact qu'a sur lui le voisinage de l'élément C.

Fig. 1 — Art enfantin — Le rapport d'enveloppement

Fig. 1 — Art enfantin — Le rapport d'enveloppement

Bien que l'enfant qui a produit ce dessin soit capable de schématiser ses éléments sous un «habillage figuratif», son graphisme n'a rien perdu du caractère direct, nerveux, expressif d'un gribouillis antérieur. Le rapport de succession est d'abord utilisé pour créer la rythmique de tempos et intervalles différents, tout en affirmant le voisinage du fermé et de l'ouvert, du dedans et du dehors. Mais tous ces éléments sont avant tout regroupés par la ligne courbe continue, seul élément coloré rouge parmi les autres noir, bleu et jaune, qui départage et relie en même temps un haut et un bas explicites.

Ce caractère linéaire et son coloris rend manifeste le rapport d'enveloppement qui situe les éléments inférieurs dans un lieu renfermé et contigu, contrastant avec la spatialité des éléments supérieurs, dont le mouvement diagonal s'échappe dans la forme ouverte du coin supérieur gauche. Les formes enveloppées offrent une succession très voisine de cercles prolongés d'une verticale, vivement rapprochés et séparés. L'espace enveloppant propose entre les bornes de carrés à croix, une succession de cercles et de lignes croisées aux intervalles beaucoup plus dégagés. Très fortement structuré, cet espace d'enveloppement permet par ses compressions et extensions une intégration de mouvements moteurs et émotifs très variés.

En soumettant un élément à un ensemble de relations asymétriques, la relation d'entourage est un agent actif de destruction de la constance formelle, non seulement de la forme fermée et de ses résistances particulières à expliciter ses interrelations avec son environnement, mais avant tout de la forme ouverte, qui devient à jamais inassimilable à la notion de substance.

Lorsqu'il s'agit d'un entourage qui n'est marqué que pour la largeur ou pour la hauteur d'un élément, Piaget parle d'un entourage à une dimension. Il parlera d'un entourage à trois dimensions lorsque cette relation est affirmée dans un rapport d'intériorité, soit partielle, soit totale, dans le cas d'un objet situé dans une boîte fermée, par exemple.

Le rapport d'intériorité cependant, souvent intuitif et qualitatif, n'implique pas nécessairement une relation de la troisième dimension volumétrique, particulièrement dans l'art pictural, car il représente fondamentalement un type de rapport par lequel deux éléments sont mis en relation, sur des plans logiques ou affectifs.

Plus spécifique encore que l'entourage, qui est le fondement des interrelations d'un voisinage intégrant plus de deux éléments, l'enveloppement entraînera des structures de relation plus fortes et stables entre un élément qui enveloppe et celui qui est enveloppé. Ceux-ci sont alors reliés par un voisinage de type hiérarchisé, donnant naissance à un faisceau de trajets vectoriels centrifuges et centripètes, différents des interrelations crées par l'entourage simple.

L'établissement du rapport d'intériorité et d'enveloppement, comme celui d'entourage, n'est aucunement une réaction réflexe simple devant des stimuli objectifs, sauf peut-être dans le cas de quelques schémas formels réalisés dans des expériences de laboratoire, qui évacuent la dynamique ouverte du processus de la perception pour ne requérir que de rudimentaires réactions réflexes. Ces rapports sont des structures dynamiques de mises en relation des éléments visuels, qui peuvent ou non être utilisées par un percepteur ou un autre. Déjà les protocoles des tests du Rorschach nous ont renseigné sur le fait que tous les sujets percepteurs n'employaient pas uniformément tous les schémas possibles de l'activité perceptive[76]. Comme pour tous les autres rapports de liaison entre les formes, le percepteur pourra ou non établir l'enveloppement et l'intériorité entre des éléments proches ou lointains, plus ou moins homogènes, plus ou moins contrastés, selon les ressources de ses structures émotives propres.

L'ordre

La synthèse du voisinage et de la séparation permet l'établissement d'un quatrième rapport topologique primordial, celui de l'ordre ou du mode de succession spatiale, qui s'établit entre des éléments à la fois voisins et séparés, lorsqu'ils sont distribués les uns à la suite des autres. Les éléments mis en relation de succession sont reliés à partir d'une hypothèse de similitude et de variation, qui relève davantage du schéma organisateur du sujet que de certaines qualités «objectivement» percevables dans les éléments. Cet ordre de succession inclut comme cas particuliers les rapports de symétrie ou d'asymétrie, la réitération simple, la récurrence, la répétition graduée dans la dimension, la densité, la saturation, le trajet de l'arabesque, etc. (Fig. no 2).

L'ampleur des potentialités structurantes du rapport d'ordre ou de succession a toujours été tellement forte qu'on a voulu la lier, dans les temps les plus lointains, au caractère quasi magique des nombres pythagoriciens et à leur pouvoir d'engendrement spontané d'interrelations.

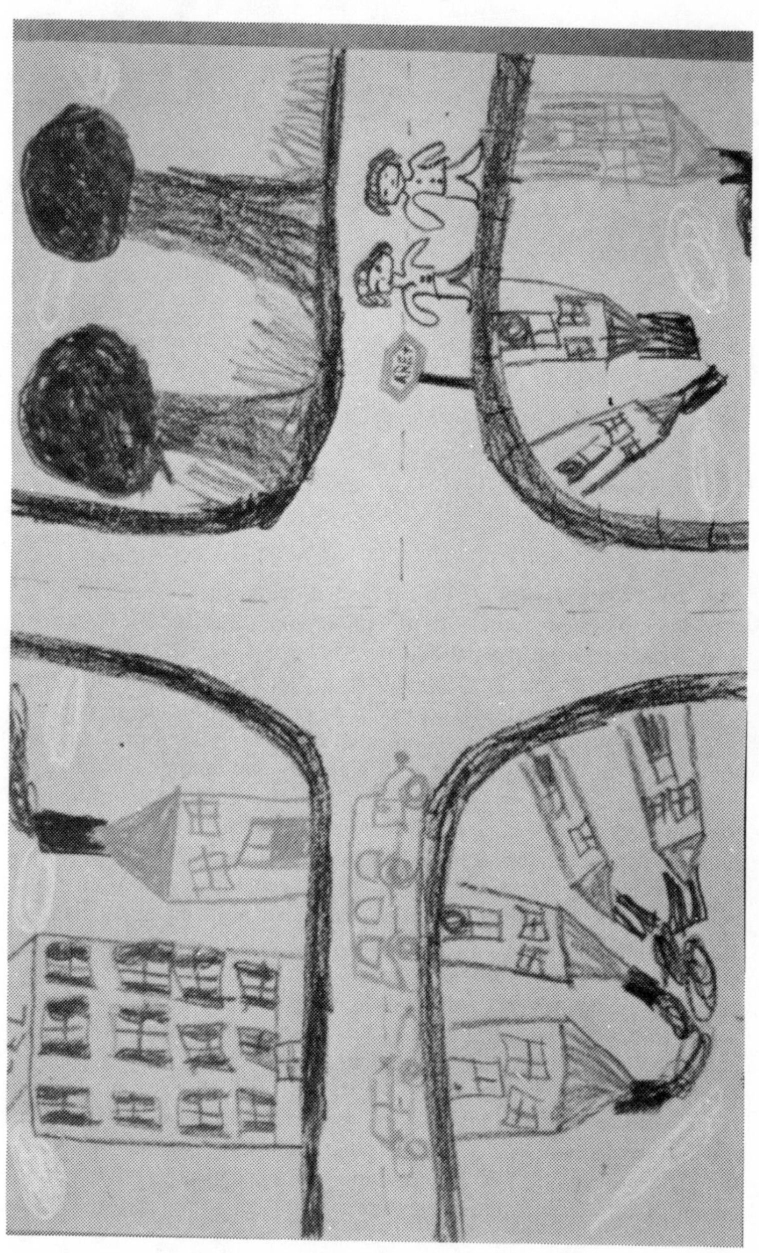

Fig. 2 — Art enfantin — Le rapport d'ordre/succession

Fig. 2 — Art enfantin — Le rapport d'ordre/succession

La monumentalité de ce dessin d'enfant résulte de la fermeté avec laquelle s'exprime dans le rapport de la gauche à la droite, un équilibre asymétrique particulièrement dynamique. Ainsi l'enfant qui a déjà intuitionné la force vectorielle de la droite linéaire, la redouble à gauche dans un voisinage presque parallèle pour former une colonne ouverte, puis la réitère à droite dans une colonne fermée à sa base et sectionnée en mi-hauteur. Ces formes englobées ou répétées structurent le dessin en six zones de blancs successifs, de densité de lumière différente par suite des inscriptions qu'elles reçoivent. La première région, à gauche, activée par l'éventail régulier d'un demi-cercle de traits avance au premier plan, instaurant un trajet diagonal vers l'arrière jusqu'au dernier blanc à droite.

C'est-à-dire que le rapport de succession, qui définit les relations entre les éléments verticaux ou obliques, engendre en outre de puissantes unités rythmiques entre les six régions du dessin, créant cette ample palpitation dans la profondeur «rapprochée» ou proxémique, propre aux espaces topologiques. Par leur ondulation avant/arrière à partir de densités différentes, ces intervalles blancs explicitent la fonction dynamique des éléments plus circonscrits servant de médiation à la projection. Leurs interrelations représentent les coordonnées majeures de l'espace interne/externe que l'enfant construit dans le réel.

Plus récemment on a voulu l'associer à la démarche scientifique abstraite, qui recherche les régularités ou du moins les successions ordonnées ou périodiques. Mais, sauf pour quelques cas exemplaires, comme le systole cardiaque et la récurrence des jours ou des saisons, l'expérience du réel «externe» s'offre plutôt dans une transformation continue et graduelle des choses dans l'espace-temps. C'est essentiellement à partir des structures mentales de représentation que cette forme d'organisation d'ordre se manifeste pour devenir l'instrument d'expression privilégiée d'un grand nombre de cultures, comme l'art byzantin, l'architecture gothique, les arts islamiques, qui conservent par là leurs capacités de communication en dépit de leurs connotations culturelles à jamais perdues pour nous.

Mais ce ne sont pas là des phénomènes isolés. Il faut poser que toute réalité picturale en tant que distribution d'éléments sur une surface relève d'un rapport d'ordre, comme le soulignait la fameuse définition de Maurice Denis. Et c'est peut-être ce rapport topologique, qui sous d'autres noms, a été le plus valorisé par l'esthétique classique, qu'il s'agisse des gradations du système de la tonalité, les équilibres des systèmes de composition, l'analyse des vectorialités, etc.

L'organisation de la perspective euclidienne offre par ses coordonnées strictes et son mode de distribution des grandeurs, de l'avant à l'arrière, une relation d'ordre inflexiblement ordonnée par des concepts proportionnels a priori. D'autres rapports d'ordre peuvent s'établir entre des éléments, dont l'étendue successive est distribuée à partir de visées intuitives qui ne se subordonnent pas à la métrique. Ainsi la relation qualitative $A < B$ permet de sérier selon une succession des éléments du plus petit au plus grand, pour autant que cette intuition des correspondances des masses soit visée dans ses termes généraux et non dans une conscience de nombre.

Le continu

L'ensemble de ces rapports topologiques, qui s'interpénètrent si étroitement les uns les autres, est englobé dans le domaine de l'art, d'une façon constante et nécessaire, dans le rapport de «continuité», qui est métaphysiquement le rapport le plus fondamental du champ spatial, puisqu'il questionne la nature même, la cohérence et la densité des mises en relation de tous les éléments entre eux.

Étant donné la polysémie inhérente à tout concept fondamental, il est intéressant de rappeler quelques aspects de la fonction du continu en mathématiques. Selon le point de vue intuitionniste, le continu est conçu comme fondé sur une action de variables de proche en proche et comporte en particulier des propriétés de densité et de compacité.[77] La densité d'une séquence y est définie par une succession où les intervalles fermés comprennent un minimum de quantités égales. Quant à la compacité, elle exige qu'il n'y ait pas entre deux nombres d'intervalles emboîtés vides. Le continu mathématique présuppose naturellement l'homogénéité de la série des nombres naturels ou autres, mis en succession et ne tient pas compte d'une hétérogénéité qui pourrait résulter de leur position, de leur structure quantitative ou de leurs diverses caractéristiques propres, soit d'être des nombres premiers, pairs ou impairs, etc. Cette définition est plus rapprochée de la notion de continu plastique que celle qui est proposée par le point de vue constructiviste, soit une série d'ensembles «complémentés», ou une «réunion dénombrable d'ensembles fermés ou intersections dénombrables d'ensembles ouverts».

Le haut niveau d'abstraction où opèrent les mathématiques leur permet en effet de manipuler plus aisément la notion d'ensemble à partir de la définition de Cantor:

«Par ensemble, nous entendons tout rassemblement (M) d'objets définis et bien distincts de notre intuition et de notre esprit (appelés «éléments» de M) que nous formons en un tout».[78] Cette notion d'ensemble, qui regroupe des éléments de façon assez aléatoire dans un concept de totalité, ne peut être retenu par le champ plastique. La poursuite et l'expérience du continu ne peut se satisfaire d'un simple principe de juxtaposition, dense et compacte, de parties «bien définies et bien distinctes» qui seraient mises en relation à partir d'une opération idéale de l'intuition ou de l'esprit. Et cela à cause du principe de «la résistance des objets», dont a parlé Piaget, à la simple intention d'homogénéisation du sujet percepteur.

Il y aurait, selon le mathématicien Yvon Gauthier, trois variantes dans la notion d'ensemble, en général. Un ensemble serait:

a) une vague extension de la notion de collection finie
b) des sous-collections arbitraires d'une collection donnée
c) une abstraction tirée de la notion plus générale de propriété.[79]

La troisième catégorie se rapprocherait davantage du type de continuité qu'offrirait un ensemble plastique. Certes, de nombreux secteurs de la production artistique voudraient se satisfaire d'un simple «réalisme ensembliste», selon lequel toute collection d'objets distincts et définis, appartenant au langage artistique ou emprunté même à la diversité du réel, juxtaposée dans un espace spécialisé, produirait de soi un «ensemble» relevable du domaine de la production plastique. Mais le trajet intentionnel, s'il vise à loger un ensemble donné dans la fiction de l'univers artistique, ne suffit pas à définir la fonctionnalité de cet ensemble par rapport à l'activité spatialisante de l'art, dont «les axiomes», pour être peu explicités, sont essentiels à la production comme à l'expérimentation de l'objet d'art.

Ce qui sous-tend la création artistique est à la fois l'invention et la «formalisation» d'éléments susceptibles par leur structure de fonctionnement, et non par une opération idéale d'intentionnalité, de produire l'expérience du continu. Ces éléments sont certes ambigus, puisque d'une part ils s'apparentent aux stases, c'est-à-dire qu'ils sont la détermination par un sujet que certaines unités formeront les éléments de base d'un appareil de représentation. En outre, tout comme les éléments du langage verbal, les éléments utilisés dans les arts visuels offrent, de par leur matérialité et leur historicité, une résistance interne aux usages structurels nouveaux auxquels on voudrait les plier. En art comme en mathématique, le continu n'est pas un donné, mais une construction. Et ni par leurs qualités propres d'éléments physiques, ni par le schéma organisateur qui les insère dans un processus dynamique, ces éléments peuvent-ils assumer que leur diversité fondamentale se transforme automatiquement en une homogénéité suffisante pour fonder une expérience du continu.

Cette notion de continu est nécessairement liée à celle du discontinu, comme le voisinage à la séparation. Seules la diversité et l'hétérogénéité des éléments utilisés dans le processus plastique leur permettent d'être situés dans des séries significatives, où ils deviennent les signes structurels d'une représentation de la relation au monde.

Le discontinu, de quelque nom que l'on veuille le nommer (disjonction, totale ouverture ou même dissémination) constitue la première expérience d'une réalité non encore sentie et organisée dans l'affirmation du sujet. La «disjonction», la «dé-construction», la «dé-différenciation» ou la «dissémination» ne pourront toujours être utilisées, en un second temps, que comme mouvement dialectique du flux libidinal, en vue de la construction d'un type de liaison supérieure où pourront s'unifier les présents incoercibles de l'être et du désir.

Toute synthèse de remplissement ou de continu apparaît comme une coupe dans l'univers du discontinu, qui n'a pas pour but d'imposer une homogénéité artificielle mais de faire rendre son poids maximum à une hétérogénéité, sans elle, niée ou rejetée hors de la sensation. Loin de s'opposer à la diversité, la notion de continu fait réaffleurer à la conscience ce qui autrement demeurerait le vide, le trou, le non-senti, le non-pris en soi, le non-avalé de l'expérience subjective.

C'est ainsi que les rapports topologiques de juxtaposition, de séparation, d'entourage ou de succession affirment simultanément la continuité/discontinuité, mais en activant et remplissant d'une énergie supérieure la fonction des intervalles qu'ils resserrent et rassemblent dans une profondeur rapprochée ou proxémique. C'est dans les intervalles que se joue tout le destin du tableau, dans la structure des interactions et des rencontres, pour autant que les décentrations successives de l'activité perceptive laissent émerger ces énergies de liaison qui assurent la continuité du tissu pictural.

Pour le percepteur du réel, comme pour le percepteur du tableau, la dynamique spécifique de l'activité de perception consiste à établir des liens entre les divers stimuli, selon certains modes d'organisation, afin que s'y révèlent leurs potentialités existentielles. Lorsque à la limite, ces stimuli se coagulent pour ainsi dire à partir d'une grande densité d'interrelations événementielles, le champ se révèle comme continu et comme espace spécifique.
(Fig. no 3)

Car c'est bien ainsi, à la suite de Piaget, que nous définissons un espace, soit le résultat d'une opération infra-logique, en opposition totale avec le type d'opérations logico-arithmétiques qui constituent des ensembles et non des espaces, car ils regroupent des éléments discontinus:

«Un espace est, en effet, un schème unique, englobant en un bloc d'un seul tenant tous les éléments qui le composent, tandis qu'une classe logique est un ensemble d'éléments discontinus, réunis par leurs seules ressemblances indépendamment de leurs distances dans l'espace et le temps».[80] La caractéristique de ce qu'on appelle «espace» est donc essentiellement ce qui à son point de départ comme à son point d'arrivée sert à l'élaboration d'un continu.

C'est-à-dire que cette notion d'espace continu est corrélative, chez Piaget, de l'attribution à l'élément lui-même d'une certaine potentialité de continuité interne, laquelle est aussi le résultat du trajet épistémologique qui a mené à sa constitution. Qualité du rapport qui unit des éléments multiples, le continu est aussi une caractéristique attribuée à la structure de l'élément lui-même. Piaget précise en effet que le continu «considéré en son point de départ perceptif est précisément le caractère distinctif de l'objet, par rapport aux collections discrètes».

Cette similarité de structure entre l'élément et les relations qui le lient aux autres éléments pour constituer un espace sera constante, car c'est la structure de l'espace constitué qui détermine la structure des éléments qui le constituera et inversement. C'est-à-dire qu'un élément possédant des caractéristiques non topologiques ne peut entrer dans la réalisation d'un espace topologique, sans le détruire dans ses fondements mêmes. Il en est ainsi, par exemple, de la volumétrie qui par ses connotations avec l'espace euclidien génère dans sa proximité, un aura de «vide» dont les intervalles ne peuvent être «remplis» par des interrelations topologiques.

Fig. 3 — Guido Molinari, «Quadriblanc», 1956.
Duco sur toile, 40 x 45'', Coll. de l'artiste.

Fig. 3 — Guido Molinari, «Quadriblanc», 1956.

Le rapport topologique de voisinage engendre au premier abord dans ce tableau l'espace proxémique de la réversibilité entre la forme globale des quatre blancs qui, lorsqu'elle est objet de centration, est perçue en avant des éléments noirs et réciproquement. Cependant l'énergie vectorielle des diagonales, reliant les coins noirs et blancs opposés, s'ajoute aux décalages horizontaux et verticaux des axes médians, pour morceler les divers plans en région de densités différentes. En particulier, ces vecteurs structuraux déterminent l'instabilité d'un quasi-carré noir, au centre de la composition, entraînant de chaque côté une série de rectangles qui créent une dynamique qualitative de l'horizontalité.

Un effet de séparation analogue ondule les noirs dans la verticalité, amplifié par l'énergie concentrée aux frontières des plans blancs et noirs. La charge énergétique de la colonne noire, vers le centre, et celle de la colonne noire à l'extrême-droite, se prolongent vers le bas et le haut, créant par le contraste vif des arêtes dures, une accentuation de la luminosité des blancs adjacents. Cette «mutation» lumineuse réciproque lie davantage les blancs aux noirs et engendre l'infra-structure de quatre bandes parallèles d'inégales largeurs. En outre, sur le plus long côté des noirs, la rencontre sur une plus grande étendue du blanc et du noir produit une oscillation lumineuse de la ligne-frontière, qui permet aux masses de s'expandre et de se rétracter. La perception du tableau résulte de la synthèse mnémique de ces trajets énergétiques qui seuls peuvent définir les éléments de l'oeuvre, en même temps que leurs interactions.

Dans l'espace d'enveloppement que constitue l'espace buccal, par exemple, les éléments ne sont plus perçus dans la «discontinuité» de leurs caractéristiques sensorielles variées, telles la bouche et le biberon par exemple, mais ces deux ensembles de stimuli sont perçus et posés dans la densité continue et étroite de leurs interrelations, qui les englobe dans un ensemble unique doté de caractéristiques dynamiques spécifiques. Car il convient de le répéter encore, ce qui appartient ici à la notion d'espace provient essentiellement de l'activité perceptive organisatrice des stimuli et non d'une perception quelconque d'une propriété «objective» du réel: «L'intuition de l'espace n'est pas une lecture des propriétés des objets, mais bien dès le début, une action exercée sur eux».(60) Ainsi l'établissement de la fonction du continu dans l'objet comme dans l'espace est le résultat d'une action exercée par les facultés représentatives/intellectuelles à partir d'un schème organisateur qui leur est propre.

Déjà au moment de l'établissement du rapport de voisinage, la notion du continu émergera, un continu largement intuitif et synthétique certes, mais dont l'efficacité énergétique est la première source de la construction même de la notion du réel. À partir des voisinages, précise Piaget, «la notion de continu évolue en deux directions complémentaires». En premier lieu, la décomposition progressive «par partition de l'objet en quelques éléments, en nombre restreint, eux-mêmes continus et isomorphes au tout, puis par décomposition de ces éléments en points visibles en nombre encore fini, et enfin par décomposition indéfinie en points dénués de toute forme. La seconde est celle de la coordination toujours plus étendue: partant de l'objet lui-même, la construction infra-logique commence par ne procéder que de proche en proche, en construisant les rapports topologiques intérieurs à chaque configuration. À ce niveau le continu, encore intuitif, ne s'applique pas à l'espace vide, faute d'un espace englobant tous les objets». C'est uniquement après la constitution de l'espace projectif et des mises en relation euclidiennes que «le continu s'applique à l'espace entier, considéré comme le cadre général de tous les objets ou de tous les observateurs»[81] écrira curieusement Piaget.

Mais l'intervention d'une notion «logique» du continu, aux niveaux projectifs et euclidiens, qui considère «tous les objets possibles vus par tous les observateurs» réels ou possibles, engendre au niveau intuitif, une conscience de discontinuité qui n'est pas aisément réductible par la simple coordination métrique et abstraite qui voudrait la recouvrir. Car un continu «logique» ne peut être l'équivalent d'un continu «spatial».

Dès les débuts de notre siècle, un grand nombre d'artistes devinrent sensibles au fait que l'espace euclidien engendrait une discontinuité fondamentale, où se logent des «vides», des «trous» qui, acceptables au sein des ensembles logico-arithmétiques, ne peuvent satisfaire à l'intuition spatialisante elle-même. Comme l'exprimait Braque à Maurice Gieure, la plupart des peintres ont ignoré «totalement que ce qui se trouvait entre la pomme et l'assiette pouvait aussi être peint... Cet entre-deux me semble aussi important que les objets eux-mêmes».

Une difficulté particulière à définir la notion de continuité dans le domaine pictural provient de ce que l'on voudrait poser que tout ce qui est quantifié appartient à l'ordre étranger des mathématiques et par conséquent, ne saurait être une dimension fondamentale de l'objet esthétique. C'est ignorer que l'essentiel de la quantification n'est pas nécessairement métrique et que vice-versa, l'essentiel de l'art, ce sera toujours des rapports de quantification. De fait, les rapports topologiques présentent des «quantifications intensives», c'est-à-dire des quantités qui sont «spatiales sans être encore mathématiques».[82]

On pourrait les considérer comme «mathématiques» uniquement si on les mettait en relation avec une formalisation mathématique très avancée, où la métrique ne joue plus le rôle prépondérant qu'elle a si longtemps tenu dans le développement des mathématiques. C'est ce que précise Piaget, en notant que les opérations topologiques sont «comparables à celles de la pure logique qualitative des classes et des relations définies par leurs seules qualités».[83]

C'est d'ailleurs sur un type de spatialité structuré sur des rapports topologiques que s'est développé et que continuera vraisemblablement de se développer l'art, après la parenthèse du stade perspectiviste euclidien. C'est-à-dire sur la base des rapports topologiques qui réactivent les éléments les plus fondamentaux de l'élaboration de l'espace, à partir d'une nouvelle visée de la notion de continu.

Susceptibles d'être soumis à des développements extrêmement poussés, qui font penser analogiquement à ceux de la logique mathématique, les rapports topologiques fonderont un art qui véhiculera une expérience de plus en plus concrète, immédiate et multiple de la réalité. En ce sens, l'art le plus récent, comme l'art de demain, est loin de présenter les caractéristiques qu'un chercheur récent, se fondant sur les travaux de Piaget sur l'épistémologie génétique, a cru devoir lui accoler. Dans un ouvrage paru en 1977,[84] Suzi Gablik a en effet tenté de définir un développement possible de l'histoire de l'art, d'un «progrès» même, qui résulterait d'une évolution de l'art à travers les siècles, calquée sur l'évolution des structures cognitives et perceptrices de l'enfant, telles qu'elles ont été décrites par Piaget.

L'histoire de l'art, cette fois, et non l'humanité tout entière, verrait son évolution se modeler sur les diverses étapes de l'enfant qui grandit, depuis les stages pré-opérationnels, caractérisés par une «imagerie statique» et le primat des rapports topologiques (art ancien, médiéval, byzantin, égyptien, etc.), à travers un stage opérationnel/concret, caractérisé par le primat iconique et les relations projectives et euclidiennes, basées sur «le point de vue statique d'un observateur unique» qui triomphe à la Renaissance; pour aboutir à un stage opérationnel/formel où des systèmes propositionnels, logico-mathématiques ont donné naissance à un espace «indéterminé, atmosphérique»(85). Cette dernière période aurait pris naissance avec les derniers Monet et le Cubisme, mais trouverait son point culminant dans ce qu'on a appelé l'art post-minimal.

Poussant au maximum l'analogie entre l'art et le développement des sciences mathématiques, l'auteur propose que dans ce troisième et actuel état de l'art, les artistes utilisent de très hautes abstractions à l'intérieur d'une «logique de propositions»: «Il se produit une augmentation de l'autonomie des formes telle que même des formes abstraites dénuées de contenu peuvent être construites et manipulées».(86) Devenu un «mode de pensée», l'art non-objectif du XXe siècle s'orienterait vers «la construction de systèmes logiques formels qui sont autonomes et fonctionnent indépendamment d'un contenu. Ils sont l'expression pure des opérations mentales de l'artiste».(87)

Il faut bien noter que cette conception d'opérations mentales, même formelles, qui se dérouleraient dans le sujet de façon autonome, qu'il prendrait la peine d'exprimer, et qui ne comporteraient aucune référence à l'expérience, est étrangère à la pensée de Piaget. D'autre part, cette définition est peut-être trop ambitieuse. À partir des descriptions apportées par S. Gablik, il est manifeste que les manipulations formelles auxquelles Elsworth Kelly,

Richard Serra ou Richard Mangold soumettent les «symboles euclidiens»: le cercle, le carré, etc. ou les relations structurales que Dorothy Rockburne imprime à ses dessins calques ou Sol LeWitt à ses dessins muraux (i.e les concepts du «déposé sur», du «entre» ou du «en direction de») sont loin d'avoir atteint la «complexification» de la logique algébrique.

Il serait plus approprié de voir dans ces organisations des élaborations des rapports topologiques eux-mêmes, tels que nous les avons décrits précédemment et certains exercices de déconstruction de la «bonne forme» gestaltiste. Pour avoir intuitionné une possibilité d'appliquer l'épistémologie génétique de Piaget au domaine de l'art, S. Gablik a conclu trop rapidement à un type d'évolution linéaire où les stages, en se perfectionnant, se remplaceront définitivement les uns les autres, au lieu de s'ajouter, de s'additionner, de se développer simultanément en réagissant sans cesse les uns sur les autres. C'est ce qui a empêché cet auteur d'accorder aux espaces pratiques, aux espaces topologiques et aux espaces projectifs, toute l'attention nécessaire, et de saisir la continuité et la permanence des premiers dans les prolongements formels élaborés plus tard par l'organisme humain.

Sans entrer davantage dans le problème sémantique ouvert par les assertions de S. Gublik, à l'effet que les structures actuelles de l'art sont élaborées «sans égard à leur signification» et sans référence à un contenu quelconque[(88)], il faut poser que ces assertions sont nettement en contradiction avec toutes les notions que Piaget a tenté de définir et de démontrer à travers ses recherches. Elles brisent avec la conception même de l'intelligence, dont le développement est tout entier lié à une expérimentation de la réalité en vue de répondre aux besoins de l'organisme humain, ainsi qu'avec les relations sensibles et concrètes qui président à la perception des formes géométriques simples, à l'élaboration des notions spatiales, des plus simples aux plus complexes. Soucieux de vider quelques dernières querelles avec des historiens de l'art, en particulier Gombrich et sa conception du «réalisme», l'auteur n'a pas perçu qu'en réalité, c'est au niveau de la notion d'espace que se jouait le destin évolutif de l'art et que c'est sur ce terrain justement que l'apport de Piaget est crucial.

Les structures abstraites élaborées par l'art contemporain ne sont pas un nouveau «mimétisme» de l'activité de formalisation atteinte par les mathématiques supérieures. L'art se vouerait à un échec immédiat s'il tentait par des moyens «sensibles et imagiques» de rivaliser dans cette production avec les mathématiciens et logiciens contemporains, pour laquelle seul le langage mathématique est adéquat. La tâche de l'art ne consiste pas non plus à «illustrer» pour ceux qui ne peuvent avoir accès au langage mathématique, les intuitions supérieures que cette activité humaine a pu obtenir sur les structures du réel, comme a pu le faire un certain art conceptuel par rapport à un ensemble de connaissances de la physique, de la géographie ou de la mécanique. À la recherche d'une nouvelle définition de sa nature et de sa fonction, l'art ne doit pas s'assigner par rapport aux développements extraordinaires des sciences, le rôle ancillaire qu'il a joué si longtemps par rapport à la religion.

Nous proposons plutôt que le propre de l'art est l'élaboration d'une nouvelle représentation de l'expérience spatiale, qui serait conçue comme la conscience des interrelations continues et changeantes du sujet avec la réalité, aux niveaux sensori-moteurs, affectifs et intellectuels, à partir naturellement de l'acquis actuel de l'évolution humaine.

Et comme nous l'avons dit précédemment, nous posons que la spatialité ne se constitue comme expérience qu'à partir de la dimension du continu comme pôle dialectique limite, c'est-à-dire comme potentialité d'intégration de l'expérience du sujet.

Et comme les géométries nouvelles ont retrouvé dans la topologie des fondements fructueux pour de nouveaux développements, il nous apparaît qu'à partir de l'insatisfaction notoire produite par l'espace euclidien chez l'homme occidental moderne, c'est essentiellement par une conscience nouvelle de la spatialité topologique que l'art au XXe siècle a pu retrouver ses fondements véritables, sur lesquels d'ailleurs s'étaient construits les arts des grandes civilisations anciennes et orientales.

Les différents rapports topologiques ne sont, en effet, que des modes différents de vivre la continuité à travers la disjonction des expériences sensibles, à travers les variations perpétuelles dans les interrelations des éléments entre eux et avec le sujet. Chacun d'eux est un développement nouveau, un commentaire fécond sur le rapport de voisinage qui demeure fondamental.

Ainsi le rapport de séparation explicite le lien d'un élément qualitativement hétérogène à l'intérieur d'un voisinage maintenu. Il peut s'agir d'un élément intérieur à une surface fermée ou extérieur à elle ou encore à cheval sur sa frontière. Le rapport d'entourage juxtapose l'ensemble des voisinages à une frontière donnée d'un élément dans un dynamisme additionnel qui explicite leurs relations internes. Le rapport d'ordre affirme la succession proche d'éléments ou d'entourages, toujours sous le primat du continu, en dépit de la distance apparente.

C'est-à-dire que l'espace topologique, comme l'espace projectif d'ailleurs que nous abordons plus loin, peut être défini par son caractère même d'être «continu», de ne pas laisser surgir des zones non valorisées dans une perception dynamique des éléments. Comme l'exprime Piaget: «Un espace topologique n'est donc qu'une réunion *continue* d'éléments déformables par étirements ou contractions, et ne conserveront ni droites, ni distances, ni angles, etc.» Et plus précisément encore: «...les intervalles vides entre éléments trop séparés n'appartenant pas à l'espace, ou aux mêmes espaces que les éléments pleins»[(89)].

Nous avons donc là les concepts essentiels de continuité, d'élasticité des éléments, d'éléments pleins et d'homogénéité spatiale. Cependant nous croyons que cette description de l'espace topologique élaboré par les enfants est susceptible de conserver ses structures essentielles, même si dans l'art adulte, il y a incorporation de droites ou d'angles, pourvu que ces éléments sauvegardent les caractéristiques essentielles de continuité et d'homogénéité, à travers leurs étirements, contractions, etc. rendues possibles par leur caractère non-métrique.

L'insistance sur la juxtaposition «d'éléments pleins» est primordiale, puisque l'émergence de «vides» insère une discontinuité radicale dans un espace topologique, car ils s'opposent aux potentialités particulières des éléments pleins de se «déformer», de «s'étirer», de se «contracter», sans se transformer radicalement. Alors que la dimension de vide qui entoure les éléments euclidiens leur confère une «fermeté», ou une fermeture à l'intérieur de leur contour, constantes dans un lieu donné, qui les opposent de façon contradictoire aux «non-formes» que constituent les vides. Dans l'espace topologique, tout est plein, tout est forme, tout est présence sentie et expressive; chaque élément est en transformation dans une interrelation continue avec les autres éléments dont le pouvoir d'attraction ne peut être nié.

En effet, sous l'apparence d'une grande mobilité des éléments dans une grille à trois dimensions, l'espace euclidien instaure une fixité abstraite des coordonnées qui se réfléchit dans une fixité interne des éléments/formes eux-mêmes. Il instaure aussi une conservation des «emplacements immobiles» qui seront parcourus de façon mécanique et a priori, selon la synthèse abstraite d'une pluralité de points de vue, qui ne peut plus par définition correspondre à l'expérience concrète d'un sujet donné, quel qu'il soit.

Sans doute, à l'intérieur des rapports topologiques, «chaque domaine continu y constitue un espace et aucun espace général n'est encore donné à titre de cadre des objets ou des formes permettant de les situer les uns par rapport aux autres»(90) à partir d'une perspective globale et universelle. Mais par là même, les rapports topologiques engendrent une grande diversité d'espaces qui, dans un projet artistique, devront être intégrés entre eux, à partir de leurs affinités propres et sous la seule exclusion de l'émergence du vide.

Que jusqu'aux environs de la 10e et 12e année, la représentation spatiale se veuille continue et qu'elle rejette vigoureusement la notion de vide, est une évidence dans le contexte des travaux de Piaget. Il le note à maintes reprises: «les petits ne croient pas à la conservation des longueurs, pas plus qu'à celles des intervalles vides ou distances!»(91) C'est-à-dire que les intervalles de «distances» qui ponctuent et structurent la profondeur euclidienne sont de fait des «intervalles de vides» qui ne se constituent qu'à partir de la non-extensibilité des formes, de leurs relations pré-définies et stables entre elles. En affirmant le continu, on ne peut que refuser le «vide» et en posant le «vide», on crée un discontinu spatial, même s'il peut dans un autre contexte être défini comme un «continu logique». Mais un «continu logique», s'il forme une structure suffisante à certaines fins, n'est pas susceptible de créer un «continu spatial».

Cette distinction est tout à fait capitale, souvent marquée chez Piaget, formant la base d'une opposition radicale entre ce qui est élaboration spatiale proprement dite et ce qui ne s'offre que comme élaboration purement formelle: «... en parallèle exact avec les opérations concrètes, de caractère logico-arithmétique, portant exclusivement sur les ressemblances (classes et relations symétriques), les différences (relations asymétriques), ou les deux à la fois (nombres), entre objets discrets, réunis en ensembles discontinus et indépendants de leur configuration spatio-temporelle, il existe des opérations concrètes de caractère infra-logique ou spatio-temporel qui sont précisément constitutives de l'espace»(92).

Une autre caractéristique importante des espaces topologiques, c'est qu'ils se présentent nécessairement comme «bi-dimensionnels», pour utiliser un terme extrêmement impropre et ambigu, mais largement utilisé en esthétique contemporaine, en opposition naturellement avec la représentation «tri-dimensionnelle» de l'espace euclidien. Il faudrait plutôt parler de «profondeur proxémique», comme nous l'expliquerons plus loin en étudiant les caractéristiques de l'espace euclidien.

Après avoir constaté la présence constante d'un comportement à structures topologiques pendant les premiers âges du développement humain, Piaget s'étonne curieusement de la persistance chez les enfants de sept à huit ans de la recherche d'une structure spatiale «continue». À cet âge, les enfants ont déjà acquis la conscience des trois interrelations fondamentales: hauteur, largeur et profondeur, qui permettraient d'organiser immédiatement une perspective de type euclidien.

Mais à ce stade III A, note Piaget, on observe dans les épreuves de coordination partielle auxquelles sont soumis les enfants, «une curieuse réaction, assez constante pour que l'on puisse parler d'une erreur systématique de ces estimations: les distances en profondeur du modèle (selon la dimension en hauteur sur le dessin) sont fortement dépréciées par opposition aux distances latérales (gauche et droite, et non plus avant et arrière). Dans le cas de la vision à 45°, on pourrait attribuer cette déformation à une compréhension insuffisante de la perspective, en fonction de l'éloignement, mais l'erreur subsiste en vision perpendiculaire. Il s'agit, d'autre part, de déformations trop grandes pour être attribuées à des illusions purement perceptives (surestimation de la hauteur du dessin, etc.) Nous croyons donc plutôt qu'il s'agit en l'occurrence d'un résidu de la tendance propre aux stades I et II, d'aligner les objets latéralement pour représenter le modèle bi-dimensionnel»[93].

Mais vouloir représenter le «modèle bi-dimensionnel», c'est choisir de maintenir les rapports topologiques proxémiques qui engendrent l'espace continu. Au lieu de constater simplement l'ampleur et la persistance de ce type d'organisation, Piaget enfreint, à cette occasion, ses propres hypothèses de travail, pour postuler, l'une des rares fois dans ses études descriptives, l'existence d'un «affect particulier» qui empêcherait l'enfant de s'orienter immédiatement vers l'élaboration de la grille euclidienne. Ce facteur affectif survient abruptement sans être analysé et démontré de quelque façon. Face à ce refus de l'enfant d'abandonner l'organisation d'un espace continu, Piaget invoquera donc «la peur de l'espace vide»[94] dont serait affecté l'enfant. Et il répètera plusieurs fois ce curieux diagnostic: «cet espace vide que les sujets du stade I craignaient encore tant et que ceux de ce sous-stade IIA commencent à peine à meubler sans parvenir encore à le traverser en pensée...»[95]

Sans doute pourra-t-on fonder à l'intérieur d'une psychologie davantage axée sur une description des phénomènes émotifs, un «besoin» d'organiser et d'expérimenter un espace continu qui s'appuierait sur une motivation affective fondamentale. Mais à l'intérieur des coordonnées de l'épistémologie génétique, il nous paraît pour le moins arbitraire de parler de «crainte» ou de «peur» de l'espace vide. Il est évident d'ailleurs qu'au niveau du dessin qu'on leur propose d'examiner, les enfants peuvent difficilement ressentir un affect semblable à cette «peur du vide», à ce vertige qui saisit le sujet à proximité d'un abîme physique; il y aurait manifestement disproportion entre l'effet et la cause.

Nous croirions plutôt que Piaget s'est laissé entraîné à véhiculer ici des concepts esthétiques élaborés par Riegl et repris par Worringer au début de ce siècle.[96] D'une part, Worringer opposait à la fameuse distinction de Theodor Lipps entre «l'instinct d'empathie» et «l'instinct d'abstraction», la notion plus globale et fondamentale de Riegl sur la «Kunstwullen», «soit la volonté de produire des formes».

Il rappelait, en outre, les observations de Riegl à l'effet que le «besoin d'abstraction» a été partout la première source de l'activité artistique, chez tous les peuples connus, et que chez beaucoup d'entre eux, il demeure la seule: «Ainsi l'instinct d'abstraction se trouve au début de chacun des arts et dans le cas de certains peuples jouissant d'un haut niveau de culture, il demeure la tendance dominante, alors que chez les Grecs et certains peuples occidentaux, par exemple, il céda lentement la place à l'instinct d'empathie».[97]

Mais paradoxalement, lorsqu'il s'agira d'offrir une explication psychologique à ces phénomènes, Worringer endossera inconsciemment le seul point de vue de «certains peuples occidentaux», pour poser que l'espace euclidien, incorporant la notion du vide, serait l'espace absolu et universel, «incapable d'être individualisé» et comportant de façon nécessaire la tri-dimensionnalité.

L'expérience beaucoup plus originelle et constante de «l'espace abstrait», signalée par Riegl, devient le signe d'une «tension intérieure», d'une «immense crainte spirituelle de l'espace». Et de façon assez arbitraire, Worringer ira jusqu'à comparer le refus de l'espace «vide» euclidien à la réaction névrotique de l'agoraphobie, à la crainte des «grands espaces ouverts» de certains malades.[(98)] Cette «crainte du vide» qu'éprouveraient certaines âmes est ainsi expliquée à partir de la fameuse «horreur du vide» que la nature elle-même a été sensée ressentir pendant si longtemps. Il aurait mieux valu parler d'un besoin manifeste de réaliser un espace «continu», donc plein, à partir du chaos des sensations premières.

L'expérience de spatialisation consistera alors essentiellement à relier les moments pleins de la relation du sujet avec le monde qui l'entoure, y inclus les diverses hypothèses d'interaction possible entre les éléments dans lesquels s'incorporent les trajets de l'affectivité.

L'enfant parvient dans une mesure plus ou moins efficace à réaliser l'intégration des espaces qualitatifs initiaux (buccal, tactile, postural, visuel, auditif, etc.) qui ont d'abord été construits sans coordination aucune, de façon à ce qu'ils puissent s'apporter les uns les autres toutes les richesses émotives que chacun recèle. L'observation révèle cependant que cette coordination en vue de l'établissement d'un champ spatial ouvert et continu se produit à des rythmes et à des niveaux d'intensité différents. En grandissant, l'individu qui devient adulte, y surajoute de nouvelles coordonnées spatiales, projectives et euclidiennes et d'autres encore beaucoup plus formalisées.

Toute la question cependant, et c'est selon nous la problématique même des arts visuels contemporains, est d'arriver à intégrer ces expériences spatiales les unes aux autres, puisqu'elles représentent des modalités différentes d'assimilation et d'accommodation de l'organisme à la réalité. Le fait qu'elles demeurent hétérogènes les unes aux autres, sinon opposées et refoulantes, contribue à les isoler, à les affaiblir, à empêcher que leurs dynamismes particuliers continuent à stimuler activement l'activité perceptive, c'est-à-dire le rythme et la densité de la vie mentale elle-même.

D'une certaine façon, une perception d'hétérogénéité et de discontinu, qui est la caractéristique même d'un premier rapport avec les stimuli externes, est l'expression d'une incapacité ponctuelle à établir des rapports entre des éléments qui leur permettraient d'accéder à un champ spatial commun, où ils pourraient interagir entre eux et produire des objets plus complexes. Sans doute la zone interne qui détermine un champ spatial fait naître la notion de limite, soit la complétude d'un continu quelconque et la juxtaposition prochaine d'un discontinu. Et au niveau élémentaire premier, la notion d'un tout continu est aussi mise en question par la visée toujours déconstructrice d'une perception active et riche. Mais sous peine de demeurer une expérience isolée, étrangère, inassimilable, la saisie du discontinu doit toujours se transcender dans une intuition de voisinage, instauratrice d'un continu.

Au niveau de la représentation de l'espace par une forme symbolique, le rapport de continuité devra maintenir vivante la connexion entre la composante motrice et la composante figurale du geste graphique, qui trouve son fondement dans l'antériorité existentielle de l'émotivité et de la pensée humaine. La force de cohésion établie à travers les éléments discontinus demeure la marque même de l'efficacité ou de la faiblesse, à la fois de l'expérience du réel et des pouvoirs de représentation mentale du sujet.

Comme le dit Piaget, l'élaboration d'un continu perceptif est une synthèse toujours inachevée entre le voisinage, issu de la proximité sentie, et la séparation, toujours potentiellement renforcée par l'actualisation de l'entourage, de l'enveloppement, de l'emboîtage, des ordres de succession, etc. Comme dans l'ordre logique, l'entourage d'un point est toujours susceptible d'être meublé par de nouveaux points, de même dans l'ordre de l'expérience concrète, le rapport de voisinage peut être intensifié ou affaibli par la visée perceptive, tout autant que par les vicissitudes des moyens de la représentation mentale ou symbolique. Au niveau perceptif et représentatif, la notion du continu ne peut se constituer qu'à partir d'opérations abstraites qui, par analyse, peuvent se diversifier sans fins ou par synthèse, peuvent «homogénéiser» les apparentes discontinuités.

Chapitre V

Les espaces projectifs

Étant donné leur caractère tout à fait fondamental, les rapports topologiques conservent leur dynamisme dans la structuration du champ spatial, même lorsque l'enfant, vers 8 ou 9 ans, commence à manifester dans ses représentations graphiques un souci simultané des perspectives, des proportions, des distances, qui le mènera à l'élaboration de ce qu'on appelle «l'espace projectif». (Fig. no 4)

Selon Piaget, cet «espace projectif» commence à se constituer lorsque l'enfant, qui a déjà maintes fois perçues des droites et qui les distingue des courbes, arrive à se les représenter mentalement et à les reproduire concrètement. Pour reproduire une droite, l'enfant doit accéder à la «conscience» d'une conduite qu'il a déjà maîtrisée dans l'action, celle «d'un point de vue unique» et de l'établissement d'une visée spécifique dans la mise en relation d'éléments externes.

Selon les termes de Laurendeau et Pinard: «... dans l'espace projectif, un objet donné n'est plus considéré en lui-même seulement, mais toujours par rapport à un observateur externe avec lequel il entretient des relations de perspective, ou par rapport à d'autres objets avec lesquels il constitue un système complexe de points de vue relatifs, chacun se trouvant en rapport projectif avec les autres et avec l'observateur lui-même.»[99]

L'adoption ou la prise de conscience par l'enfant d'un «point de vue propre» est une «attitude extrêmement contraire à celle de l'égocentrisme initial, qui ne différencie pas le point de vue propre, mais le considère implicitement comme le seul possible et croit se placer au point de vue l'objet lui-même ainsi transformé en une sorte de faux-absolu», rappelle Piaget.[100] C'est-à-dire que la prise de conscience du rôle fondamental joué par son «point de vue propre» dans son élaboration du monde mènera l'enfant, à travers la prise de conscience de l'existence de «l'autre», à ce relativisme de base qui est la condition même de la connaissance.

Ce relativisme du sujet se double, comme on le voit dans l'observation de Piaget, de la perte de la croyance qu'il existerait, sinon un «point de vue de l'objet», du moins une façon pour l'objet de se présenter lui-même, en-dehors du conditionnement qu'exerce sur lui l'activité perceptrice du sujet. Cette formulation est encore malheureusement utilisée par certaines esthétiques qui voudraient poser que l'objet d'art «parle par lui-même», qu'il pourrait se révéler dans un trajet qui irait unilatéralement de l'objet au sujet, sans avoir subi le «traitement» d'un processus structurant de perception.

Il faut bien souligner, par ailleurs, que le fait que l'objet dans cette nouvelle étape de la perception soit considéré selon «un point de vue propre et dans des relations de perspective», le dépouillera d'un certain nombre de ses caractéristiques antérieures, par lesquelles il se situait sur d'autres plans que la perspective, en relation avec le sujet et les autres objets de son entourage.

Fig. 4 — Art enfantin — L'espace projectif

Fig. 4 — Art enfantin — L'espace projectif

Ce dessin marque un passage de l'espace topologique à l'espace projectif. La dynamique du rabattement s'y fait sentir dans la succession des éléments au-dessus et au-dessous de l'axe horizontal et de chaque côté de «l'arbre» transversal, dont les raccourcis sont d'ordre rythmique. Le traitement même du bas des arbres reflète la symétrie propre au rabattement. Cependant la multiplication des observateurs que rejoindraient les trajets linéaires, la superposition de certaines formes, la succession en hauteur pour marquer la distance, appartiennent déjà à l'espace projectif, qui exprime un système représentatif et non perceptif des choses.

Pourtant la dynamique du procédé énumératif de voisinage/séparation culmine dans un remplissage qui alterne formes arrondies, angulaires et pointillistes, de façon à tenir en échec les vides que suggèreraient des grilles perspectivistes. De même, les trajets angulaires si affirmés dans la partie inférieure ne sont pas posés sur la surface, mais traversent le terrain comme dans une vue en coupe. Ils ramènent vers l'avant les éléments de la moitié supérieure, niant leurs distances, en les reliant virtuellement à ce plateau d'enveloppement que constituent leurs horizontales. Seuls les rapports topologiques permettent une mise en relation d'éléments multiples aussi expressive et personnelle au sein de l'espace proxémique.

Ce dépouillement des qualités de densité perceptive se poursuivra, presque jusqu'à l'absurde, dans la perspective euclidienne qui, en maintenant sa volonté d'affirmer le plus lointain, enjoint à l'objet de perdre alors sa dimension, sa couleur, d'être voilé par des superpositions de couches atmosphériques transversales, au moment de réaliser ce but.

L'espace projectif ne transforme pas encore aussi radicalement le champ spatial. Il est donc rendu possible, lorsque l'enfant pourra élaborer une «droite projective», en la concevant comme «une suite continue de points ordonnés telle que, envisagée de «bout», le premier point masque tous les autres»[(101)]. Tout en conservant les rapports de continuité et d'ordre, la représentation mentale de l'enfant se constitue donc à partir de deux opérations précises: a) une visée «de bout», b) de sorte que le premier point masque tous les autres. Cela exige que l'enfant se pose et se représente lui-même dans une position posturale définie, que lui seul peut opérer, à son profit.

À partir de l'élaboration de la «droite projective», l'enfant peut différencier des points de vue différents, puisqu'il apprend à en sélectionner un seul parmi ceux qui lui sont possibles. Il conçoit donc la possibilité de perspectives nombreuses et variées et devient capable de les coordonner de façon à orienter des droites dans plusieurs directions. Il élabore ainsi cet espace projectif où la représentation d'objets isolés, vus en perspective, varie avec les déplacements de l'observateur qui demeure jusqu'ici unique.

C'est à ce moment que la connaissance qu'a déjà l'enfant des formes géométriques primaires doit être niée, ainsi que les quantités réelles d'objets situés à distance, en vue de la fabrication de «formes apparentes», qui surimposent leur réseau sur les formes réelles, sans pourtant les détruire à un niveau sous-jacent. Le cercle devient alors une ellipse lorsqu'il est vu à un certain angle, les deux rails parallèles d'une voie ferrée se «rapprochent» à distance.

L'enfant peut se représenter ce nouvel «espace», vers l'âge de 8 ou 9 ans, quand il arrive à se former des «images mentales» qui tiennent compte des transformations apparentes que peuvent subir des formes situées et perçues par un point de vue mobile et changeant. Il produit alors, dans son art, ce qu'on a appelé le «réalisme visuel», qui exprime sa capacité de devenir conscient de lui-même en tant que point de vue propre, différent de tout autre et susceptible de transformer l'apparence, sinon la réalité des objets.

Mais aussi longtemps que l'enfant ne peut imaginer que d'autres observateurs ont chacun un point de vue différent du sien et les uns des autres, il maintiendra dans sa représentation spatiale, les formes qu'il perçoit lui-même dans une perspective momentanée, dans une «fausse» constance de forme, une «invariance» qui est plus topologique qu'euclidienne. En devenant peu à peu capable de coordonner son point de vue avec la conscience des points de vue des autres, il dominera les rapports projectifs élémentaires et divers problèmes de coordination visuelle, comme la projection des ombres portées, le résultat des formes sectionnées, etc. Cette coordination relativiste de ses propres points de vue variés constitue aux yeux de Piaget, l'essence même de l'espace projectif, qui s'offre tout comme l'espace topologique comme une totalité globalisante, car ses structures se réfèrent toujours «même lorsqu'il s'agit de l'analyse d'une figure isolée par abstraction, à une organisation totale, explicite ou sous-entendue.»[102]

Il faut particulièrement noter le rôle fonctionnel et dynamique que joue dans l'expérience, la «prise de conscience» qu'effectue le sujet et qui ajoute à la connaissance acquise de la droite par exemple, cette dimension psychique sine qua non qui rendra possible la représentation mentale de la droite et par suite sa représentation graphique. De même, dans l'évolution décrite par Piaget, la «prise de conscience» de l'enfant d'être un objet dans le monde, puis d'être un sujet opératoire à un stage suivant, ont été les pivots, les points tournants de la structuration perceptive et de la constitution de l'intelligence. Cette notion intuitive de «la prise de conscience», conçue comme un principe opératoire indispensable à divers stages du développement humain, en relation avec des types d'expérience qui s'avèrent essentielles au développement des facultés humaines, mériterait certes d'être approfondie davantage. Il ne serait pas exclu que certains autres types de «prise de conscience» soient aussi nécessaires pour que l'individu poursuive après sa douzième année son développement mental et ses possibilités de représentation symbolique.

À partir donc de cette prise de conscience de ses points de vue propres et de leur application, l'enfant manie à nouveau tous les rapports topologiques antérieurs, auxquels s'adjoignent cependant des «significations nouvelles», selon l'expression de Piaget[103]. Il chargera d'un sens particulier les relations de la gauche et de la droite, du dessous et du dessus, du devant et du derrière lui. À partir des «faisceaux ou gerbes de droites» se constituera un «plan projectif ou un espace à trois dimensions, susceptibles d'entraîner entre eux divers rapports de projection ou de section».

Il faut souligner cependant qu'avant l'établissement des schèmes de l'espace projectif, l'enfant a déjà perçu ce phénomène des points de vue variés, complémentaires ou contradictoires. Et il a élaboré pour les représenter la structure topographique du «rabattement», qui explicite des rapports d'angularité et de perpendicularité, par des moyens qui reposent sur la proximité et le continu et un refus spécifique du vide spatial (Fig. no 5).

On s'étonne que Piaget n'ait pas vu l'importance de cette élaboration représentative, tout à fait originale, qui tente de faire la synthèse de plusieurs points de vue, alors que l'enfant n'a pas atteint encore sa cinquième année. Piaget refuse même à cet égard de souscrire aux classifications de Luquet, qui établit un lien entre ce «rabattement» et un ensemble qui exprime un «mélange des points de vue». Piaget prétend ne pouvoir y reconnaître qu'un pseudo-rabattement et ne veut conserver ce terme que pour les opérations spécifiques déjà reconnues par la géométrie descriptive à l'égard des sectionnements/ouvertures des volumes réguliers.

De toutes façons, il est manifeste que vers l'âge de 8 ou 9 ans, l'enfant fera resurgir ce mode de représentation des perspectives variées, selon les mêmes structures imaginées quelques années plus tôt. Les structures du rabattement offrent des liens extrêmement problématiques avec une perception sensorielle directe et semblent plutôt le produit d'une interrelation toute mentale entre les dynamismes des rapports topologiques et des expériences perspectivistes variées, de façon à pouvoir rendre compte sur une surface plane des volumes virtuels qui surgissent dans les distances qui séparent certaines parties du champ spatial.

Encore une fois se vérifie l'hypothèse centrale de Piaget à l'effet que toute élaboration spatiale résulte d'un dynamisme opératoire, réalisé ou imaginé par l'organisme humain, à partir d'une anticipation dans le cas du rabattement, des effets de pliage/dépliage, i.e. du «développement» des parois d'un volume représenté sur un seul plan. La représentation n'est pas cependant un mimétisme

Fig. 5 — Art enfantin — Le rabattement

Fig. 5 — Art enfantin — Le rabattement

Au moment où l'enfant devient conscient de la variation de l'apparence des phénomènes naturels quand ils sont perçus selon des points de vue différents, il invente vers l'âge de 8 ou 9 ans une structure spatiale tout à fait originale pour faire la synthèse de ce qu'il voit et de ce qu'il doit imaginer: le rabattement. Ce type de spatialisation demeure imprégné des forces organisatrices des rapports topologiques, qui ont structuré précédemment sa représentation de l'univers interne/externe, même s'il s'y ajoute une préoccupation des points de vue possibles que prendraient d'autres êtres.

L'affirmation péremptoire des grandes divisions axiales, qui figurent selon A. Stern la conscience du corps et des bras étendus, engendrent des régions très différenciées, selon le haut et le bas, la gauche et la droite. Dans la moitié supérieure, les éléments en voisinage sont ordonnés selon l'axe horizontal qui est lui-même souligné par des pointillés et une répétition de formes analogues. Dans la moitié inférieure, l'orientation des éléments font écho à l'axe vertical et introduisent dans les sections périphériques un point central, suggérant une nouvelle ouverture vers le cruciforme à l'extérieur de la base du dessin. Par la dynamique asymétrique de l'énumération des éléments séparés, dans chaque région, ce rabattement définit pour chacun d'eux une spatialité différente sur laquelle prend appui la densité encore concave et ondulatoire de la croix centrale.

de l'opération, car ce «dépliement» des limites du cube spatial ne correspond pas aux étapes d'une action réelle, c'est-à-dire que les éléments d'un cube dessiné en perspective ne peuvent être repliés de façon à reconstituer sans plus le cube premier.

C'est-à-dire que la représentation spatiale ne semble pas servir seulement des buts opératoires, mais répond à des besoins de synthèse de l'activité perceptrice, dont les composantes sont tout autant de nature affective que sensori-motrice. De même que le dessin du cube déplié n'est pas destiné à produire un «cube déplié réel», la représentation que dessine l'enfant d'une voiture — comme vue d'en haut et dont il rabat les quatre roues sur le plan horizontal au lieu de les maintenir sur l'axe vertical — résulte d'un besoin de l'organisme humain de relier les stimuli externes d'une certaine façon et non d'une autre. Le rabattement a précisément pour fonction de représenter la perspective et les distances, dans une dimension de continuité et de plénitude, selon les coordonnées même des rapports topologiques.

Le défaut de Piaget de reconnaître le lien nécessaire entre le rabattement du jeune enfant et celui qui sera réalisé à la fin du stade projectif, tend à rendre plus difficile la compréhension des fonctions spécifiques des divers espaces représentatifs, dont les fonctions ne sont pas équivalentes. Ces espaces représentatifs ne peuvent pas «se remplacer» les uns les autres, mais s'ajouter et coexister dans l'expérience mentale de l'être humain, pour répondre et satisfaire à des besoins différents.

La représentation par rabattement, ancrée dans le dynamisme topologique du voisinage/proximité, de la succession/symétrie, n'épuisera pas non plus sa fonction spécifique, dès le moment où s'élaboreront les notions euclidiennes de coordination des objets dans la «distance» orientée vers le point de fuite. Ce système demeure une possibilité complexe et efficace de contourner la contradiction du vide et du plein qu'offre l'espace euclidien. Il a été un instrument efficace pour Cézanne, Monet et Mondrian, pour redonner une densité égale au tissu spatial, par une nouvelle dynamique des intervalles fondées sur la proximité et une symétrie du haut et du bas, de la gauche et de la droite (Fig. no 6). Le réseau très dense de proximités établi par la structure du rabattement, maintenant les objets distants dans le même champ spatial, sera pour l'enfant le moyen ultime d'échapper aux contraintes de la perspective euclidienne naissante, qui exigent la reconnaissance du «vide» et une redéfinition de la nature de la forme.

Pour l'expérience première du réel, en effet, le vide n'existe pas. Pour l'oeil, «tout touche à tout» et la nécessité d'incorporer à titre d'expédient représentatif une conscience du vide dans les systèmes de représentation, sera longuement retardée par l'enfant, comme elle a été refusée par un grand nombre de systèmes représentatifs de diverses cultures.

À partir du développement des sciences physiques contemporaines qui n'ont pu qu'affirmer quant à elles, le caractère illusoire de cette notion macroscopique du «vide euclidien», il apparaît nécessaire que l'esthétique réexamine cet outil représentatif qui ne semble pas davantage correspondre à nombre de schémas mentaux organisateurs du réel.

Mais plus important encore, l'établissement de «rapports projectifs», géométriquement plus complexes que les rapports topologiques, suppose l'adoption par le sujet «d'un jeu d'axiomes équivalents à ceux de la géométrie euclidienne»,[104] c'est-à-dire l'intervention supplémentaire dans la perception et la représentation de régulations axiomatiques qui transforment de façon remarquable les

Fig. 6 — Piet Mondrian, «Composition avec rouge, jaune et bleu», 1928.

Huile sur toile, $17^{3}/_{4}$ x $17^{3}/_{4}$'', Coll. W. Hack.

Fig. 6 — Piet Mondrian, «Composition avec rouge, jaune et bleu», 1928.

Cette oeuvre s'inscrit dans un espace de rabattement dans lequel, comme le déclare Arno Stern, qu'elle soit explicite ou non, il faut toujours poser et sentir la présence de la ligne axiale médiane. Ainsi l'organisation de cette oeuvre est déterminée par le croisement des axes verticaux et horizontaux, à gauche et au-dessous des médianes virtuelles. Ce décentrement renforcit les énergies périphériques des formes ouvertes. Ce croisement linéaire actualise en particulier la relation de deux rectangles, l'un vertical bleu, l'autre horizontal gris, en opposition à deux quasi carrés gris en mouvement diagonal contraire. La plupart des éléments sont posés en rapport de voisinage/séparation, sauf le grand rectangle gris (à droite, en bas) qui est entièrement enveloppé, tout en recevant sur deux côtés une juxtaposition de plans chromatiques plus réduits, activés eux-mêmes par un rapport d'enveloppement moins prononcé. Cette dynamisation du rectangle gris accentue l'asymétrie de cet élément horizontal dans le format carré du tableau et l'opposition au voisinage vertical prononcé dans la région gauche.

L'animation chromatique produite par le prolongement dans les différents gris de colonnes chromatiques virtuelles, déconstruit en outre l'orthogonalité linéaire, transformant carrés et rectangles en losanges. Cette distorsion dans l'espace proxémique est accentuée par le pincement que subissent les diagonales au croisement de l'horizontale et de la verticale, ralentissant le mouvement de la structure en X qui fait virtuellement tourner le carré.

premiers modes de groupage issus de l'expérience antérieure de l'enfant. Ces principes aprioriques, plus rigides, s'appliqueront particulièrement aux rapports d'ordre, en ce qui a trait au devant/derrière et à la gauche/droite, maintenant assujettis à une suite linéaire idéale.

Cet espace projectif se fonde essentiellement sur une théorie de la non-constance de la forme d'un objet, c'est-à-dire de la non-constance du caractère imagé ou représentatif de cet objet, à partir de l'instauration d'un «point de vue» spécifique ou de «plusieurs points de vue» différents sur lui. Cette non-constance représentative de la forme confère un aspect résolument relativiste à tout le système de représentation, en contradiction avec la permanence et une certaine substantialisation des formes/objets, dont la perception avait doté l'objet au moment de la constitution d'un monde d'objets stables, extérieurs au sujet.

Pour intégrer à propos d'un objet donné la visée de plusieurs points de vue, il faudra que l'enfant constitue une «représentation raisonnée» et non plus une perception directe. Il déduira ou imaginera «par une représentation anticipatrice, une perception possible, attribuée à un autre observateur et non encore vécue du point de vue propre»[(105)]. Il constituera donc l'espace projectif en tenant compte de divers points de vue, non seulement étrangers à son propre point de vue, mais qui transforment sa propre expérience de la réalité. C'est-à-dire comme l'exprime Piaget, l'enfant sait bien qu'une montagne «ne change pas réellement de forme lorsqu'on se déplace par rapport à elle»[(106)], mais que toutes ses «formes» possibles n'expriment que la relation de divers sujets par rapport à elle. Ou pour mieux dire peut-être, comme l'avait explicité Cézanne devant «les» montagnes Sainte-Victoire, que ses formes expriment les relations diverses qu'une expérience dynamique du sujet instaurera entre l'objet et lui-même.

La «forme» ne peut être constante dans l'expérience d'un sujet, parce qu'elle est soumise aux transformations que le temps et le mouvement apportent au sujet et à l'objet, ainsi qu'à leurs interrelations.

Mais cette prise de conscience des transformations continues des formes dans la réalité se réalise lentement dans l'expérience de l'enfant, d'autant plus qu'il commencera à cet âge à se buter à la pression qu'exercera sur sa représentation, les impératifs des points de vue de son entourage et de l'imagerie culturelle environnante.

L'enfant met d'ailleurs lui-même beaucoup de temps à imaginer tous les points de vue possibles des autres percepteurs. S'il attribue à certains objets des transformations apparentes de leurs formes, qu'il a constatées en cours d'expérience, il n'arrivera que très lentement «à se constituer une représentation d'ensemble assez élaborée pour la transformer en pensée selon les perspectives possibles au moyen de décentration déductive» (Fig. no 7).

Ce long processus d'élaboration de la notion de forme éclaire d'une façon caractéristique le rôle qu'elle joue dans la représentation spatiale. De toute évidence, l'aspect «formel» de l'objet perçu et représenté par l'enfant avant 4 ans, à partir d'un point de vue perceptif qui s'ignore lui-même, ne possède pas et ne tend pas à posséder les caractéristiques d'un formel «figural» ou mimétique. Il n'en possède pas moins pour le sujet une qualité sensible primordiale et constitue une synthèse forte et spécifique de moments perceptifs nombreux. Modifiée peu à peu par une manipulation motrice et affective, cette élaboration d'une forme, qui est une étape importante de l'organisation de l'hétérogénéité interne et externe par les structures mentales de l'enfant, devra subir une négation et un refoulement considérables, lorsque les exigences de la représentation l'obligeront à se relativiser et à se coordonner aux «points de vue» des autres observateurs.

Fig. 7 — Alfred Pellan, «Fabrique de fleurs magiques», 1966-67. Huile sur toile, 89 cm x 116 cm, Coll. Musée d'art contemporain. **(1959?).**

Fig. 7 — A. Pellan, «Fabrique de fleurs magiques», 1966-67.

La complexité de l'espace projectif élaboré par Pellan dans cette oeuvre provient de la juxtaposition aux rapports topologiques de nombreuses perspectives hétérogènes. Le tableau s'articule essentiellement sur deux grandes perspectives en plongée, séparées par une région centrale où les blancs suggèrent une distance illimitée. La première perspective se développe à partir de la planéité du demi-cercle de base et agglutinent une pluralité de reliefs menant à un cube en perspective. Au-dessus, à droite, une forme tachetée enveloppant des plans en superposition devient la base d'une nouvelle série d'éléments, vus en plongée jusqu'au coin supérieur droit.

La mobilité extrême de la région centrale provient des changements incessants de points de vue réclamés du spectateur, afin de s'ajuster à des éléments surgissant comme des quanta d'espaces différents, topologiques, projectifs et euclidiens. Le lien qui rapproche ces divers éléments résulte du rapport d'enveloppement constant des plans fermés par les plans ouverts, ainsi que des tonalités chaudes et orangées par rapport aux tons plus froids. Le parallélisme des deux grandes perspectives en plongée absorbe et atténue les points de vue différents engendrés par les traitements linéaires, qui se prolongent parfois en effet d'ombre, ainsi que les suggestions de volumes toujours engendrées par les formes fermées.

Aucune expérience n'est d'ailleurs possible des «points de vue des autres» et si vaste que soit la connaissance qu'un sujet pourrait en prendre, elle ne pourrait produire cette conscience globale de coordination de l'infinité des points de vue qui constituerait l'espace projectif. Les nouvelles «formes» qui seront alors élaborées par le système de représentation sont davantage des opérations intellectuelles que des opérations perceptives réelles: «Aucune perception réelle, déclare Piaget, n'englobe ces montagnes dans la totalité de leurs aspects, non pas parce que chaque perception porte uniquement sur une partie du tout, mais parce que chaque perception est relative à une seule perspective.»[(107)]

Dès le moment même de l'élaboration de l'espace projectif, les relations avec l'activité de perception deviennent extrêmement ténues dans la représentation symbolique:

«Bien plus encore que l'espace topologique élémentaire, l'espace projectif est donc constitué avant tout par le groupe de transformation lui-même (et, avant qu'il y ait groupe mathématisé par le groupement qualitatif) dont l'expression psychologique est le système représentatif et non pas perceptif, des perspectives élaborées par l'enfant au cours des quatre stades que nous avons distingués».

De fait, le passage de l'enfant au stade de l'espace projectif constituera une lutte épique, car l'expérience perceptrice des stades antérieurs voudra se perpétuer, en conflit direct avec les «axiomatiques» nées de l'imagination de d'autres consciences perspectivistes. Le caractère abstrait de celles-ci devra être reconnu et assumé, comme par exemple, le développement particulier de la gauche/droite, qui cesse d'être une propriété absolue du sujet par rapport à un objet donné, pour devenir une mise en relation variable selon les points de vue de divers sujets.

Mais c'est encore à travers la notion de forme que l'on peut le mieux cerner la complexité de l'élaboration de la représentation spatiale chez l'être humain. À sa genèse, la forme correspond à la projection d'une structure organisatrice du sujet sur l'hétérogénéité de ses opérations sur les stimuli externes. À partir de l'espace projectif, et plus encore dans l'espace euclidien, elle devient la synthèse abstraite et axiomatique d'expériences perceptives imaginaires. À aucun moment, cette notion de forme n'a correspondu à cette espèce de configuration stable et quasi inséparable de «l'essence» de l'objet que les esthéticiens de la théorie de la mimesis, comme Gombrich[(108)] ont voulu proposer comme terme de la recherche artistique.

En réalité, cette conception de la forme stable, permanente, susceptible de variations très limitées, relèverait davantage dans sa dynamique structurelle du stade où l'enfant pose que la représentation d'un point de vue, d'un seul type de centration, le sien, correspond à la «véritable» perspective sur un sujet donné, si par ailleurs elle ne plaquait pas sur cette expérience naïve le caractère abstrait du perspectivisme euclidien. Il s'agit en d'autres mots de l'établissement d'un autre type de «fausse constance» de la forme, fondée sans doute sur des perspectives plurielles, mais marquant un arrêt et une fixité dans l'organisation spatiale du réel, à partir de l'établissement absolu d'un certain type de rapport dominant. Elle fige et paralyse l'évolution relativiste et formelle que doit encore poursuivre la représentation symbolique du monde pour rendre compte des potentialités structurelles des relations de l'homme avec l'univers.

Chapitre VI

La perspective euclidienne

Dans ce vaste «musée imaginaire» que constituent depuis la fin du 19e siècle, la découverte et la valorisation des arts primitifs et des cultures non-européennes, un fait majeur s'est peu à peu imposé à notre conscience, énigmatique, fondement de la spécificité occidentale. Il s'agit de l'élaboration de la perspective euclidienne, tout à fait originale à notre civilisation sans doute, mais qui a aussi établi une coupure essentielle dans la sensibilité humaine, telle qu'elle s'était exprimée depuis la préhistoire dans presque toutes les autres cultures humaines.

D'une façon plus ou moins explicite, cette élaboration spatiale, conçue comme le produit ultime de la sensibilité et de la rationalité, a signifié pour beaucoup d'Occidentaux le signe d'un «progrès» définitif de leur culture par rapport à toutes les autres. Mais l'évolution ultérieure justement de la pensée occidentale, dans les sciences physiques, les mathématiques et la psychologie, nous permet peut-être aujourd'hui de mieux cerner ce phénomène et d'en dégager les structures et les fonctions en même temps que les limites profondes.

La façon la plus commune de saisir le sens de l'émergence d'une nouvelle forme de représentation spatiale à la Renaissance est résumée dans cette déclaration de Georges Matoré: «Le problème de la profondeur ne s'est jamais posé aux peintres avant le XVe siècle»[(109)].

Le terme de «profondeur» est ici très ambigu et c'est autour de lui que s'engendrent toutes les confusions. La notion de profondeur correspond d'abord et avant tout à la relation entre l'avant et l'arrière, qui sont ses coordonnées structurelles fondamentales. Malheureusement, l'introduction par la perspective euclidienne de la superposition partielle des plans/formes les uns aux autres, comme technique d'évocation d'une certaine profondeur, a presque transformé la notion originale en celle d'une relation «devant-derrière», c'est-à-dire d'un élément qui est devant un autre, celui-ci étant réciproquement derrière lui. En d'autres mots, à partir de ce «truc mécanique» élaboré par la perspective, comme le disait Robert Delaunay[(110)] du plan superposé, la sensibilité occidentale s'est de plus en plus refusé à percevoir la profondeur entre des plans simplement juxtaposés les uns aux autres, latéralement ou en hauteur. L'«avant-arrière» ne pouvait plus être perçu et senti, s'il n'était pas signifié par un «devant-derrière».

Et l'on a inventé pour pallier cette lacune de la perception la notion de bi-dimensionnalité, qui est une absurdité dans la considération d'un champ spatial, presqu'une contradiction dans les termes pour ce qui est de la perception des éléments picturaux. En effet, à partir de leur structure physique même, les différentes couleurs sont véhiculées sur des longueurs d'ondes variées. D'autre part, la variation des intensités lumineuses et chromatiques, vectorielles, tonales, quantitatives, etc. communique aux éléments picturaux, de par leur propre énergétique, une relation avant-arrière, qui constitue des niveaux de profondeur proxémiques constituant le champ spatial (Fig. no 8).

Fig. 8 — P.-E. Borduas, «Sans titre», no 28, (1959?),
Huile sur toile, 89 cm x 116 cm, Coll. Musée d'art contemporain.

Fig. 8 — P.-E. Borduas, Sans titre, no 28, (1959?).

Même s'il réintroduit la couleur, des bleu-vert-rose dans les gris et des bruns dans les noirs, ce tableau de la période parisienne de Borduas conserve l'infra-structure orthogonale qui caractérise ses tableaux blancs et noirs de 1956-57. Ces éléments principaux sont en effet décentrés vers la périphérie en faisant écho aux lignes axiales verticale et horizontale, suggérant un rabattement symétrique de la gauche sur la droite et une grille de juxtaposition verticale des plans dans la colonne d'extrême-droite. L'ordre de succession des quatre colonnes mouvantes ondule la profondeur proxémique du clair au sombre, de l'avant à l'arrière.

La complexité de l'oeuvre provient de l'émergence en son centre de plans projectifs au sein d'un entourage global topologique. Celui-ci est réalisé lorsque les voisinages sont marqués par des frontières plus ou moins continues. Lorsque celles-ci s'émiettent en groupes d'éléments fermés, un effet de séparation plus fort augmente la distance de la profondeur. Ainsi à sa gauche, la colonne sombre qui redouble la vectorialité du côté du tableau, comme de l'axe vertical, se relèvera vers l'avant, à droite, le long de sa frontière tachetée. De même, l'amoncellement du coin supérieur droit prend une inclinaison, de l'arrière vers l'avant, depuis le plan extrême gris vers les taches sombres, suspendues dans un enveloppement suggestif d'un évidement. Ces éléments frontaliers, de chaque côté de la colonne grise centrale, appartiennent à un espace projectif et ouvrent une profondeur plus lointaine au centre de cette colonne, encore accentuée par une tache sombre en suspens. Cette profondeur plus lointaine évoque cet espace cosmique, palpitant à l'infini, que Borduas a valorisé pendant si longtemps.

Cette particularité des éléments picturaux d'apparaître plus en avant ou plus en arrière, de par leur nature même, a toujours été reconnue et affirmée par les artistes ou les théories de la couleur, sous la forme par exemple de l'axiome: «les couleurs chaudes avancent vers le spectateur, les couleurs froides reculent loin de lui». Si cette hypothèse fondamentale a été largement développée et nuancée à travers les recherches de Mondrian, Albers, Hofmann, etc. elle demeure le fondement tout aussi bien de l'élaboration de l'espace pictural que de la rythmique spatiale propre à chaque artiste(111). C'est cette même énergétique qui structure les rapports des éléments dans les espaces topologiques.

La profondeur constitue de fait une relation de séparation, dont la «distance» instaurée entre les éléments peut être variable et signifiée de multiples façons: variations formelles, chromatiques, lumineuses, de frontière, etc. C'est une dimension qui détermine l'élément de l'extériorité comme continu/discontinu par rapport à un contexte global.

En outre d'une identification sommaire entre la profondeur et le mécanisme de la superposition des plans, l'esthétique traditionnelle a aussi pris la mauvaise habitude linguistique d'identifier la «profondeur spatiale» uniquement à l'effet obtenu par la mise en relation des distances selon la perspective euclidienne. Le terme même de «perspective» devient abusivement identique à ceux de «perspective euclidienne», comme si toute perspective n'était pas une décision d'organiser des éléments à partir d'un point de vue spécifique et tout à fait relatif à une fonction donnée. Après Einstein, il ne devrait plus être possible de considérer un point de vue comme un point de vue absolu, suffisant pour rendre compte de la totalité de l'expérience. Par cette survalorisation de la perspective euclidienne, on se permettait d'escamoter de nombreux systèmes d'interrelations, non seulement légitimes et possibles, mais effectivement mis au point par les hommes et les artistes pour rendre compte de leur expérience sensible.

Le caractère limité et inadéquat de la perspective euclidienne comme instrument de représentation de l'expérience spatiale était, en effet, clairement perçu dès les débuts du siècle par des théoriciens du Cubisme, tels A. Gleizes et J. Metzinger. Ils protestaient, dès 1912, contre l'assimilation hâtive faite entre l'espace engendré par la forme picturale et les structures abstraites de l'espace euclidien: «Cet espace, on a négligemment accoutumé de le confondre, soit avec l'espace visuel, soit avec l'espace euclidien.

«Euclide, en l'un de ses postulats, pose l'indéformabilité des figures en mouvement, cela nous épargne d'insister.

«Si l'on désirait rattacher l'espace des peintres à quelque géométrie, il faudrait en référer aux savants non euclidiens, méditer longuement certains théorèmes de Rieman.»(112)

Par le terme de «perspective», il faut plutôt comprendre tout système global, définissant les modes d'interrelations entre des ensembles d'éléments, selon certaines coordonnées aprioriques. L'utilisation d'une perspective devrait être accompagnée de la conscience nette d'adopter un point de vue spécifique, d'où dépend aussi bien la description ou la définition des éléments qui seront réunis dans l'ensemble que les lois selon lesquelles ils devront être associés.

Il faut souligner encore que le terme même de «perspective euclidienne» est impropre et entraîne de la confusion. Cette perspective, en effet, n'est pas fondée et ne dérive pas directement des seuls axiomes et théorèmes de la géométrie euclidienne, laquelle n'a pas engendré dans l'Antiquité, le type de représentation spatiale qui émergera à la Renaissance. Ce qu'elle véhicule d'identique cependant, c'est le même type d'intuition à l'oeuvre dans cette géométrie, qui veut que l'espace soit un *vide* dans lequel se déroule toutes les fonctions dynamiques par lesquelles le point devient ligne, la ligne surface et la surface, volume. On y décrit donc un type de genèse des formes et des volumes qui se déroulerait sans subir d'interactions significatives de la part du contexte spatial environnant. Cette intuition «géométrique», idéale, de l'espace ne correspond naturellement pas au destin réel des corps et des formes dans «l'espace» réel. À l'encontre de cette axiomisation euclidienne, les nouvelles géométries ont dû se construire qui puissent rendre compte d'un espace conçu comme «plenum» où tous les éléments sont soumis aux transformations continues qu'engendre le temps.

Dans la représentation spatiale engendrée par la géométrie et la physique euclido-aristotélicienne, une sensibilité particulièrement vive s'est manifestée vis-à-vis des «éléments» proches, circonscrits, stables et concrets, totalisant en eux-mêmes leur définition spatiale, ainsi que l'exprimait Aristote: «Le lieu existe en même temps que la chose, car les limites sont avec le limité»[(113)]. L'espace se loge ainsi dans les bornes de l'objet. Comme ses mathématiques, sa physique et sa géométrie, l'art grec a refusé de «penser» et de représenter la notion d'un espace infini, sous la forme d'un lointain toujours mouvant et inaccessible. La notion d'infini s'offrait plutôt comme la qualité première, intuitive et insondable, du présent de l'Être et non la dimension d'une réalité en devenir.

Dès 1925, Ernst Cassirer commentait cette dualité entre la perception spatiale et l'intuition de l'infini au sein de la représentation spatiale: «La perception sensible ne connaît pas la notion d'infini; elle est au contraire d'emblée restreinte par les limites de la faculté même de perception, et donc bornée à un contour bien délimité de l'élément spatial.»[(114)]. Paradoxalement, Cassirer maintenait comme l'objet corrélatif de la perception sensible, l'objet euclidien lui-même, borné par la perception «à un contour bien délimité de l'élément spatial», tout en refusant le type d'espace qui permet seul de construire un tel objet, soit l'espace vide et homogène de la géométrie euclidienne.

Plus tard, Panofsky a particulièrement insisté sur cette situation de l'artiste antique où n'étaient pas distinguées véritablement les notions d'objet et d'espace. Dans l'Antiquité classique, disait-il, «l'imagination de l'artiste continue à se fixer de manière si prononcée sur les choses singulières que l'espace n'est pas ressenti comme une réalité capable, tout à la fois de dominer et de résoudre l'opposition entre ce qui est corps et ce qui n'est pas corps, mais, en une certaine mesure, seulement comme quelque chose qui subsiste entre les corps, un résidu. Aussi l'artiste donnera-t-il à voir cet espace par un procédé échappant encore à tout contrôle, simple superposition ou bien disposition en enfilade»[(115)].

L'on sait cependant qu'à d'autres moments, Panofsky s'est fait l'interprète de la théorie selon laquelle les Anciens auraient élaboré une perspective fondée sur une «courbure» de l'espace, plus proche de l'impression visuelle première: «L'optique des Anciens s'est en effet représenté la forme du champ visuel sur le modèle d'une sphère»[(116)]. La disposition des objets quant à leur grandeur était alors déterminée, non par l'éloignement des objets par rapport à l'oeil, mais par la mesure de l'angle visuel. Cette hypothèse qui cherche à rendre compte aussi bien des courbures horizontales du style dorique que des peintures sur vases, expliquerait en outre comment les Grecs, en se concevant au centre d'une sphère visuelle ont élaboré la perspective axiale, ou en «arête de poisson» que l'on retrouvera aussi bien à Pompéi, du IIe au IVe siècle, que dans beaucoup d'oeuvres de la haute Renaissance, où les parallèles convergent vers la ligne centrale.

Bien qu'on n'en soit pas arrivé à des conclusions décisives sur les types de perspectives qui ont été élaborées dans l'art de l'Antiquité, il est certes manifeste que l'élaboration de la perspective dite euclidienne à la Renaissance n'a été possible qu'à la suite d'une sorte de transsubstantiation des intuitions sensibles sous-jacentes aux éléments géométriques fournis par Euclide, les dépouillant de leur caractère fini et concret, pour leur permettre de s'intégrer dans des systèmes d'interrelations beaucoup plus abstraits.

Certains historiens prétendent même que rien ne nous prouve qu'Alberti ou Piero della Francesca connaissaient la géométrie d'Euclide[(117)]. Ils en absorbèrent cependant les points les plus essentiels, en même temps que leurs contemporains, lorsqu'en l'année 1400 arriva en Italie, de Constantinople, le livre majeur de Ptolémée sur la cartographie, intitulé «Geographia», où diverses hypothèses étaient examinées sur la façon de dessiner des cartes géographiques, c'est-à-dire sur la façon de compenser pour les distorsions occasionnées à une surface sphérique par le fait de la projeter sur un plan bi-dimensionnel[(118)]. Les trois méthodes de cartographie, proposées par Ptolémée, étaient fondées sur l'idée de projeter une carte géographique sur une surface plane, en utilisant les notions de longitude et de latitude, c'est-à-dire la construction de deux coordonnées. Et le souci de Ptolémée de compenser ensuite pour les distorsions latérales et de surface trouvera un écho dans la préoccupation des artistes du Quatrocento de compenser les distorsions latérales engendrées par la perspective du point de fuite sur le tableau lui-même[119]. La solution sera analogue dans les deux cas, soit l'élaboration des «points de distance» établissant des équivalences dans les quantifications spatiales.

Les «coordonnées spatiales» de Ptolémée deviendront les éléments fondamentaux de l'infra-structure spatiale de l'art de la Renaissance, au point où on pourrait les décrire véritablement comme des «formes symboliques» primordiales au sens où l'entendait Cassirer, lorsqu'il définissait celles-ci comme des éléments grâce auxquels «un contenu signifiant d'ordre intelligible s'attache à un signe concret d'ordre sensible pour s'identifier profondément à lui». Ces coordonnées spatiales atteindront leur sommet d'efficacité symbolique et opératoire dans la géométrie cartésienne. Spengler a particulièrement souligné cette métamorphose de la sensibilité qui s'est concrétisée dans les formulations cartésiennes: «Au lieu de l'élément sensible de la *ligne* et du plan concrets (expression spécifique du sentiment antique de la limite) apparaît l'élément abstrait spatial, donc opposé à l'antique, le *point,* désormais caractérisé par un groupe de nombres purs conjugués»[120].

À mi-chemin certes d'une conception de l'espace comme un véritable «plein», Descartes a généralisé dans la sensibilité occidentale, la potentialité que surgissent dans tous les «lieux» de l'espace vide, des noeuds énergétiques formés de l'interrelation des coordonnées, symbolisés par un point, lequel n'est plus la plus infime partie d'une ligne ou d'une surface, mais la synthèse de deux vectorialités dynamiques. Symbole d'un groupe de nombres conjugués en un même «lieu», le point est en même temps symbole abstrait de deux énergétiques. Par là, il inaugure une explicitation de la structure du tissu spatial, encore partielle, car autour de ces points, l'espace demeure toujours «vide».

La belle ordonnance constituée par l'émergence des points au lieu de rencontre des coordonnées orthogonales exige en effet non seulement que l'espace soit conçu comme vide, mais ce qui est une notion équivalente, comme vide homogène. C'est-à-dire qu'aucune influence énergétique extérieure ne doit venir contrecarrer l'immuabilité de la rencontre prévue pour les lignes des coordonnées. Cet espace homogène est un espace géométrique, abstrait, qui ne correspond pas à l'expérience sensible, non plus qu'aux connaissances que les sciences physiques ont maintenant atteintes sur la nature du réel.

Déjà Panofsky avait vigoureusement établi ce point: «Pas plus que d'infinité, on ne peut parler d'homogénéité de l'espace perçu... L'espace homogène n'est donc jamais un espace donné, c'est un espace engendré par une construction. Ainsi le concept géométrique d'homogénéité peut très exactement être exprimé par le postulat selon lequel, à partir de chaque point de l'espace, il est possible d'effectuer des constructions semblables en tous lieux et dans toutes les directions. Dans l'espace de la perception immédiate, ce postulat ne peut jamais être satisfait. On ne trouve dans cet espace aucune homogénéité des lieux et des directions; chaque lieu a sa modalité propre et sa valeur»[121].

Les axes fondamentaux de l'espace euclidien seront donc les coordonnées ptoléméiennes ou cartésiennes, soit la verticale et l'horizontale. Dans un prolongement macroscopique immédiat, ces droites seront identifiées: a) au sol ou à la ligne d'horizon, (à la surface des nappes d'eaux, etc.) et b) aux objets qui leur sont perpendiculaires (poteaux, parois, arbres, cheminées, etc.). Elles seront en même temps contaminées d'une énergétique gravitationnelle dont elles ne pourront plus aisément se départir.

Voici dans quels termes, Piaget décrira la structure spatiale euclidienne que l'enfant parvient à élaborer pleinement vers sa douzième année. Elle consiste en «un vaste réseau étendu à tous les objets, consistant en relations d'ordre appliquées aux trois dimensions à la fois; chaque objet situé dans ce réseau est coordonné par rapport aux autres selon les trois sortes de rapport: la gauche et la droite, le dessus et le dessous, le devant et le derrière, le long de lignes droites parallèles entre elles, quant à l'une de ces dimensions, et se croisant à angle droit avec celles orientées selon les deux autres dimensions»[122].

Soulignons d'abord que la grille euclidienne est une variation spécifique à l'intérieur du rapport topologique d'ordre et qu'elle donne lieu à une réinterprétation graphique des rapports fondamentaux de proximité et de séparation dans le contexte global de l'établissement du continu.

En conservant invariantes les relations entre les emplacements sur la grille des coordonnées, indépendamment des déplacements dont sont susceptibles les objets, ce système constitue la notion d'un espace comme un contenant général, homogène et vide. Cet espace est relativement indépendant des objets mobiles qui y sont contenus, car il peut, sans se modifier lui-même, prévoir et subir tous leurs déplacements successifs et même possibles. C'est-à-dire que ce «contenant», fait de rapports de succession et d'intervalles, diffère radicalement de ses «contenus», qui sont des éléments d'explicitation synthétique de l'énergie spatiale virtuelle en des points très circonscrits. Au prix de cette dualité fondamentale que les artistes du XXe siècle n'ont plus voulu tolérer, la représentation spatiale résolvait l'une des difficultés fondamentales de l'art antique, que Panofsky décrivait de la façon suivante: «...ainsi s'explique cette sorte de paradoxe qui fait que tant qu'il renonce à la reproduction de l'espace intercalaire, le monde de l'art antique impose au monde de l'art moderne la prééminence de sa stabilité et de son harmonie, mais que, dès qu'il introduit l'espace dans ses représentations, ce qui se produit surtout dans les paysages, il devienne alors curieusement irréel, contradictoire et chimérique.»[123]

Tout le problème de l'esthétique repose sans doute sur l'interprétation de ce refus, de ce «renoncement à la reproduction de l'espace intercalaire» opéré par les artistes antiques, qui possédaient certes toutes les connaissances géométriques nécessaires à l'élaboration d'une grille de perspective analogue à celle que réalisa la Renaissance. En ce sens, les Anciens se trouvaient dans une position très différente de celle des enfants qui, avant un certain âge, ne possèdent pas les outils conceptuels leur permettant de reproduire la perspective euclidienne.

Avant l'âge de 8 ans, en effet, l'enfant ne sait pas reproduire dans ses dessins, des perpendiculaires au sol, ni des parallèles à des axes quelconques. Il semble même qu'il ne «saisit» pas mentalement le sens de ces notions, dont il a pourtant perçu l'émergence dans son environnement physique. Il existe, dans l'évolution humaine, un écart appréciable entre la perception de «faits» et la longue et complexe élaboration d'un système de représentation par coordonnées, qui puisse rendre compte de certains aspects, sur le plan de l'imitation intériorisée, des activités d'accommodation au réel. La représentation mentale, que devra ensuite subir la transposition de la représentation graphique, est le fruit du travail propre de l'intelligence et non celui de la perception sensible. Et bien que Piaget ne se soit pas aventuré dans ce champ d'investigation, il faut bien reconnaître que le refus d'utiliser l'une ou l'autre des représentations mentales possibles de l'espace, comme cela s'est produit chez les Grecs, chez les Byzantins, dans les sociétés orientales, relève de motivations émotives et culturelles qui constituent le fondement même de la variété des cultures.

Mais au sein de l'évolution génétique des êtres humains, la représentation mentale de l'espace dit euclidien est toujours spécifiquement datée et résulte d'une évolution complexe. Récusant la validité d'un «véritable» rabattement, fondé implicitement sur des notions d'angles droits et de perpendiculaires, à un âge plus précoce, Piaget pose que c'est uniquement après l'élaboration d'un espace projectif, où l'enfant devient capable, à l'intérieur des coordonnées topologiques, de se représenter la trajectoire d'une droite à partir de son «point de vue propre», que devient possible l'élaboration des coordonnées orthogonales structurant la perspective euclidienne: «Ce système de coordonnées n'est pas au point de départ de la connaissance spatiale, mais au point d'arrivée de la construction psychologique entière de l'espace euclidien».(124)

À l'intérieur de la grille cubique formée par ces coordonnées orthogonales et perpendiculaires, le traité d'Alberti introduisit, en 1435, la notion capitale du «point de fuite», soit ce point central fixé au milieu de la ligne d'horizon où doivent se rencontrer les parallèles convergentes, à une distance «infinie» ou du moins dans un lointain distant et imprécis. L'adjonction de cette «perspective linéaire» permit le calcul des «raccourcis» nécessaires à la création de l'illusion de la distance sur la surface plane du tableau.(125)

Le recours au seul point de fuite central ne pouvait être en lui-même tout à fait efficace et jusqu'à Léonard, la plupart des artistes du XVe siècle n'adoptèrent pas la perspective linéaire. On adjoignit bientôt à celle-ci les deux réseaux des «points de distance» latéraux, qui pouvaient seuls réduire les distorsions perçues par le spectateur qui ne se situerait pas, de façon fixe et monuculaire, au centre de la visée perspective. La multiplication et la juxtaposition des points de fuite variés dans le même tableau demeurèrent fréquentes; ainsi parmi bien d'autres, dans «L'Ecole d'Athènes», Raphaël juxtapose une perspective centrale pour les formes architecturales et des centres de perspective individuelle pour chacun des personnages. L'exploration et la multiplication des systèmes de perspective différents et même oppositionnels dans une même oeuvre furent poursuivies avec passion, jusqu'à ces perspectives excentriques de l'anamorphose, où l'on ne peut reconnaître «l'illusion» de l'objet à moins d'adopter un «centre de perspective», unique, bizarre et quasi secret.

Pour ceux qui s'intéressèrent à une tentative de représentation mimétique d'une certaine tri-dimensionnalité, les limites illusionnistes de la simple perspective géométrique apparurent rapidement. La nécessité s'imposa d'y adjoindre un ensemble de procédés de plus en plus contraignants. En outre des variations nécessaires de la grandeur des objets, il fallut multiplier la superposition des contours, la distribution des points de lumière et des ombres pour créer le «volume», la perspective aérienne, réduisant la luminosité des objets lointains déjà restreints dans leurs dimensions.

Issus de la tentative de produire l'illusion particulière de la «tri-dimensionnalité», chacun de ces procédés devinrent à leur tour essentiellement suggestifs du type d'«espace» recherché. C'est-à-dire de cet espace «euclidien» qui exige pour se constituer la production de l'illusion d'objets volumétriques, aux contours stables et bien cernés, isolés entre eux et séparés par l'illusion de «distances vides», afin de bien marquer leur localisation dans la ligne de profondeur. Régis par l'exigence théorique de reproduire une tri-dimensionnalité donnée, ces objets colorés doivent obligatoirement être conçus comme les «substances» autonomes et stables de l'aristotélisme et cesser d'être perçus comme les signes d'une réalité essentiellement mobile, aux interactions continues et changeantes.

La perspective euclidienne impose une hiérarchisation particulière de l'expérience émotive, où la projection du moi dans l'avant-plan, la masse, la coloration vive, est aussitôt niée par son insertion dans un système abstrait, où le lointain s'impose comme le terme, le but, le point où se rejoignent les coordonnées des expériences particulières. Cette équilibration forcée demeure toutefois un modèle artificiel de l'expérience du moi et du non-moi, car elle tend à nier la validité expressive du proche, qui ne constituerait toujours qu'une étape dans un trajet vers le lointain. Elle nie aussi le lointain lui-même, par l'impossibilité de l'affirmer par les moyens picturaux eux-mêmes, qui le rapetissent à le rendre presque imperceptible, qui le voile de zones d'ombres ou de couches atmosphériques confuses, ou encore qui le noie dans une luminosité diffuse. À l'intérieur de ce schéma fixe, aux coordonnées inamovibles, notre civilisation voudrait confiner la représentation que peut se donner l'homme de son expérience - du - moi - dans - le - monde. Il est certain que la survie de l'activité artistique est liée depuis le siècle dernier à un combat continu, plus ou moins ouvert, mais définitif contre non seulement le primat de «l'image» figurative, mais d'une façon plus essentielle en faveur d'un ressourcement, d'une réaffirmation péremptoire des expériences spatiales pré-euclidiennes, au niveau des formes primaires et des relations topologiques.

Depuis la Renaissance, sauf pour ceux qui demeuraient figés dans l'académisme, les artistes vivants continuèrent à la fois d'expérimenter le réel et ses possibilités diverses de représentations mentales et graphiques, depuis le Baroque jusqu'à l'Impressionnisme, de façons toujours plus profondes, à des niveaux analytiques et synthétiques plus évolués. Depuis le début de notre siècle, en particulier, on a cessé de représenter la profondeur sur un mode métrique et quantitatif, par l'utilisation des «raccourcis» de formes et d'intervalles. Sur un mode plus intensif, on juxtapose des surfaces chromatiques dans des «grilles» ou perspectives plus topologiques, où les intensités picturales recréent une expérience de la profondeur plus en accord avec la perception sensible et l'expérience affective.

L'on sait par ailleurs que cette ouverture véritable à l'expérience et à l'activité psychique de représentation spatiale est, à toutes fins pratiques, interdite aux jeunes humains qui entrent dans le stage de l'adolescence.

La perspective de l'espace euclidien a été, en effet, traitée par notre culture occidentale contemporaine, comme une sorte de «vérité» éternelle à laquelle il faut sacrifier l'évolution de l'être humain. Dès le moment où l'enfant devient capable, vers l'âge de 9 ou 10 ans d'«imaginer», si l'on peut dire, cette structure de représentation spatiale, la tradition culturelle collective, par l'intermédiaire des institutions scolaires, lui accordera une valeur primordiale et abusive, refoulant et «censurant» comme inadéquates toutes les autres formes d'intuition spatiale développées par l'enfant jusque là, le rendant ainsi incapable de poursuivre plus avant l'évolution de ses capacités émotives et psychiques.

Car, en figeant l'expérience spatiale euclidienne en valeur de vérité objective, non seulement la culture collective actuelle coupe l'enfant de toutes ses expériences spatiales antérieures, mais elle érige des digues, des obstacles au développement des structures opératoires «formelles», qui commencent à se constituer vers l'âge de 11 ou 12 ans et qui portent non plus sur des relations d'objets à caractères concrets, mais sur les relations entre les propositions. On veut ainsi figer les capacités de représentation mentale de l'homme à ce qu'il peut réaliser à l'âge de 10 ans, sous prétexte qu'il a alors atteint la plénitude de la «pensée naturelle», les cadres immuables d'une sensibilité et d'une conceptualisation «normales». Pourtant si les processus de «formalisation», qui débutent à l'âge de 11 et 12 ans, regénèrent et revivifient l'expérience topologique antérieure sur bien des points, ils acquièrent aussi une liberté et une fécondité combinatoire qui dépassent largement les formes de la «pensée naturelle», comme le démontrent clairement les progrès de la pensée scientifique.

C'est cet arrêt, cette fixation des relations entre le sujet et la réalité, conséquence d'une véritable «répression» culturelle, qui empêchent le public en général de suivre l'artiste contemporain dans une exploration spatiale qui, à la façon des mathématiques actuelles, revient à ses fondements dynamiques par un approfondissement des structurations primaires fondamentales, topologiques, de l'enfance.

L'histoire de l'art elle-même se refuse particulièrement à percevoir dans la dissolution de la «bonne forme» réalisée par l'Impressionnisme et sa valorisation de la vision périphérique, les prémisses d'une restructuration de l'espace qui substitue un espace topologique plein à l'organisation abstraite des pleins et des vides de l'espace euclidien. L'on interprétera superficiellement la restructuration souhaitée par le Post-Impressionnisme et Cézanne comme un simple retour aux hypothèses structurantes de la perspective euclidienne. D'où la perplexité des analystes devant les dernières oeuvres de Cézanne.

Pourtant l'attention passionnée accordée par Braque à la notion de «passages» dans l'oeuvre cézannienne, qu'il transpose dans celle de «remplissage», d'ordre strictement topologique, renvoie directement aux premiers modes de représentation spatiale de l'enfant. Elle laisse voir clairement que la préoccupation du Cubisme est axée sur l'élaboration d'un «espace» différent et non pas sur une simple explicitation de la volumétrie de l'objet euclidien vue sous «plusieurs points de vue». Cet espace «rapproché» révèle une profondeur «proxémique».

Cette valorisation de l'action dynamique de «remplissage», si elle s'oppose à une notion architecturale, ou comme on l'a appelée «théâtrale» ou «scénique» de l'espace pictural, pour y substituer un ordre d'organisation par juxtaposition prochaine, conduira les premières oeuvres de Braque, de 1908 à 1910, à une occupation presque globale de la surface du tableau unifiée par un rapport d'enveloppement. L'espace pictural s'intuitionne alors comme un voisinage très proche d'unités énergétiques, nécessairement générateur d'un ordre rythmique à multiples dimensions: empilement vertical, vectorialités verticales et diagonales, successions et enveloppements, etc.

Et c'est lorsque cette structure d'enveloppement, qui maintenait une hétérogénéité du focal et du périphérique, sera virtualisée par le Cubisme synthétique que l'on assiste à la naissance même de l'art abstrait. L'on ne peut que souligner rapidement ici le processus extrême d'occultation qu'a subi le Cubisme synthétique de la part des commentateurs historiques, qui n'en ont retenu que le mécanisme du «collage», ce qui obscurcit les liens générateurs entre ce mouvement et le Suprématisme, le Néoplasticisme et l'art contemporain lui-même.

D'autre part, l'art abstrait peut se définir comme le processus ininterrompu de prise de conscience, depuis Kandinsky et Larionov jusqu'aux oeuvres post-minimalistes, de la portée structurante des diverses composantes picturales qui produisaient l'espace euclidien et de la nécessité de leur élimination progressive. Ces composantes ont été peu à peu identifiées et remises en question et elles débordent largement ce que Clement Greenberg réduisait de façon trop partielle dans une notion de «respect de la surface».

Les dispositifs structuraux susceptibles de faire émerger un espace euclidien sont en effet nombreux: convergence des lignes vers un point de fuite et établissement des raccourcis, superposition des plans/contours, définition volumétrique par le clair-obscur, valorisation du plan focal, émergence de la forme sur un fond, perspective atmosphérique dégradant la forme/couleur de l'objet à distance, forme fermée, etc.

Délaissant un à un ces «trucs perspectivistes» au cours d'une longue évolution dont il faudra éventuellement faire l'histoire, l'art abstrait y a substitué de nouvelles dynamiques de mise en relation du moi et du «non-moi», fondées sur les notions de voisinage/séparation, de succession/rythme et d'enveloppement, à partir d'un nouvel élément de base, essentiellement ouvert et «élastique», susceptible de se modifier quant à la couleur/forme, parce qu'il est inséré dans un espace mouvant dont les interactions dynamiques sont en perpétuelle transformation.

Ainsi du «plan-plane» vectoriel de Malevitch, qui transforme le carré noir en losange à partir des pressions changeantes de l'enveloppement «blanc»; du refus de la forme fermée par Mondrian et du réseau énergétique asymétrique qui engendre son «espace»; de l'élaboration des champs-de-couleur chez Newman qui transforment les voisinages; des réseaux linéaires de Pollock recréant la proximité spatiale de l'espace des gribouillis; des enveloppements planes des gouaches de Borduas, des juxtapositions de perspectives projectives de Pellan ou des structures de mutation chromatique de Molinari, etc. Dans ces nouveaux espaces abstraits, il est toujours question de la structuration d'un plenum spatial, à partir d'éléments libres et mouvants, regroupés sur les bases d'une structuration topologique de l'espace.

Seuls ces nouveaux types d'espace peuvent expliciter de façon immédiate et directe la relation sensori-motrice et psychologique de l'individu avec les éléments du réel, laquelle est toujours issue des processus d'assimilation/accommodation de l'organisme avec ce qui l'entoure. Ces processus de base demeurent toujours actifs et fondamentaux dans l'expérience humaine, à l'âge adulte comme à l'âge enfantin, quels que soient les prolongements nécessairement «abstraits» que la pensée formelle donnera aux premières structures d'organisation topologique construites aux premiers âges de la vie.

Chapitre VII

Les structures de l'art enfantin

Face à la confusion qui règne encore quant à la nature et la fonction de l'activité artistique, on peut observer pourtant un ilôt de cohérence et de normalisation, dont on n'a pas encore saisi tout l'intérêt qu'il présente dans l'exploration du phénomène de l'art. Il s'agit de l'art enfantin.

Cet art constitue l'élaboration toujours première et nouvelle des formes de représentation artistique humaine. Sa caractéristique la plus spectaculaire, et peut-être la plus scandaleuse pour le narcicisme commun, est certes de demeurer remarquablement constant dans ses structures, à travers tous les lieux et tous les temps, bien qu'il offre par ailleurs le témoignage d'un processus évolutif de représentation et d'expression.

Tous les observateurs de l'art enfantin, depuis les premières études et enquêtes réalisées à la fin du 19e siècle, semblent unanimes sur ces points. Comme l'exprime Rhoda Kellogg: «Tous les enfants, où qu'ils soient, dessinent les mêmes choses, de la même façon, au même âge».[126]

Bien que peu de conclusions aient été tirées de ce fait, il est certain que de nombreux artistes, sur un plan individuel, et même des mouvements artistiques, tels le Blaue Reiter ou le Surréalisme, ont par ailleurs valorisé à un très haut point, cet art enfantin, depuis les débuts de ce siècle. Nombreux aussi sont ceux qui ont perçu de grandes similitudes entre cette production artistique et celle des sociétés primitives.

L'on sait que Klee avait gardé les dessins qu'il avait faits étant enfant, les datant et les numérotant, pour en insérer plusieurs dans son catalogue d'oeuves définitives. Avant Luquet et Piaget, il a observé les premiers dessins de son fils Félix, notant la date exacte où le bébé dessina quelques lignes avec un crayon posé devant lui. Lorsque son fils fut plus grand, Klee continua à collectionner un très grand nombre de dessins d'enfants produits dans son entourage. En 1930, il collabora directement avec H.F. Geist à la préparation de l'exposition «The World of the Child», présentée à Dessau.

Beaucoup plus important, Klee s'attacha non à l'aspect exotique ou révélatoire de ces dessins d'enfants, mais en étudia les structures spatiales fondamentales, qu'il transposa systématiquement dans sa propre oeuvre jusqu'à la fin de sa vie. Dès 1905, il produit la fameuse «Fillette avec poupée» qui emprunte directement au graphisme enfantin, d'une façon manifeste. En 1911, il élimine toute illusion spatiale euclidienne, après sa rencontre avec le groupe du Blaue Reiter, pour produire des oeuvres que l'on pourrait aisément attribuer à un enfant.(127)

La valeur spécifique de l'art enfantin était largement reconnue dans le milieu allemand et dans le numéro du Blaue Reiter, de 1912, Kandinsky loue les enfants de peindre «ce qu'ils savent et non ce qu'ils voient», situant leurs oeuvres au même niveau, sinon à un niveau supérieur, que celui des artistes adultes. Dans le même numéro, Macke parle de la «spiritualité» et de «l'harmonie interne» de l'art enfantin.

Ce phénomène n'était pas uniquement le fait de quelques artistes plus intuitifs. Dès 1905, trois livres majeurs étaient publiés en Allemagne, éclairant des aspects fondamentaux de l'art enfantin. Il s'agit d'abord de la traduction de l'ouvrage du pionnier italien Corrado Ricci, dont «L'Arte dei Bambini» avait paru à Bologne en 1887. Puis de l'extraordinaire répertoire visuel constitué par Georg Kerschenstein, reproduisant 800 dessins d'art enfantin. Et finalement, en cette même année encore, paraissait une thèse de doctorat de Siegfried Levinstein, qui établissait à l'intention d'un vaste public, les relations entre cet art et l'art «exotique» ou primitif.[(127)].

C'est pourquoi l'on peut s'étonner que le secteur de l'esthétique, par ailleurs si ébranlé dans ses critères et ses valeurs depuis le début du siècle, ait autant négligé d'établir des liens entre cet univers graphique et plastique, élaboré par tous les êtres humains jusqu'à l'âge de 12 ans environ et les transformations ou les prolongements qu'il connaîtra plus tard dans la production adulte, c'est-à-dire chez cette minorité d'êtres humains qui seront encore capables de s'exprimer par des moyens visuels après l'âge de la puberté.

On a été davantage enclin à spéculer sur les origines de l'art, aux débuts des sociétés humaines, c'est-à-dire dans les brumes de la pré-histoire, qu'à examiner les débuts, si quotidiens et communs, de la fonction artistique chez les êtres humains eux-mêmes. Et si, comme l'exprimait Kübler dans «La Forme des choses»[(128)] les oeuvres d'art même récentes nous parviennent toujours comme la signalisation d'une expérience passée, comme cette lumière des étoiles lointaines qui nous parle de temps et de lieux disparus, de même l'origine de la fonction représentative elle-même dans chaque être humain baigne dans une confusion et un mystère similaires.

Il n'est pas exclu pourtant que l'origine de l'un ne puisse expliquer analogiquement l'origine de l'autre. On a déjà signalé[129] que chez l'homme primitif, adulte ou non, comme chez l'enfant, l'art plastique ou le dessin est sans doute né d'une observation consciente de la «permanence des traces», qui sont à la fois un continuum de l'homme et une émergence d'hétérogénéité. Car les traces accidentelles produites par l'activité de l'homme se distinguent de lui-même, par leur prolongement dans le temps et par une permanence formelle qui se refusent à accompagner l'homme dans la transformation ultérieure de ses états affectifs et de ses actes opératoires.

Au début de chacune des vies humaines, la fonction graphique se présente comme une exploration, une expérimentation spécifique de la production de traces, qui est tout entière conditionnée par l'expressivité du rythme initial de l'organisme. Elle se présente comme le va-et-vient de la main sur le papier ou tout autre support, dans un mouvement uniquement lié à la fonction de transcrire, hors du sujet, ses pulsions motrices et affectives. (Fig. no 9).

Sous un même mode que ce stage du miroir dont a parlé Lacan, la prise de conscience de la projection de traces rémanentes sur une surface quelconque est l'une des expériences fondamentales, par laquelle le sujet se relie à une extériorité qui est à la fois issue de lui-même et étrangère à lui. Au lieu d'y retrouver cette «image globale» du reflet dans le miroir, dans lequel l'enfant s'identifie à ce qu'il apparaît pour les autres, la production d'une trace spécifique offre une «image partielle» de sa réalité interne, des mouvements, des tensions, des trajets

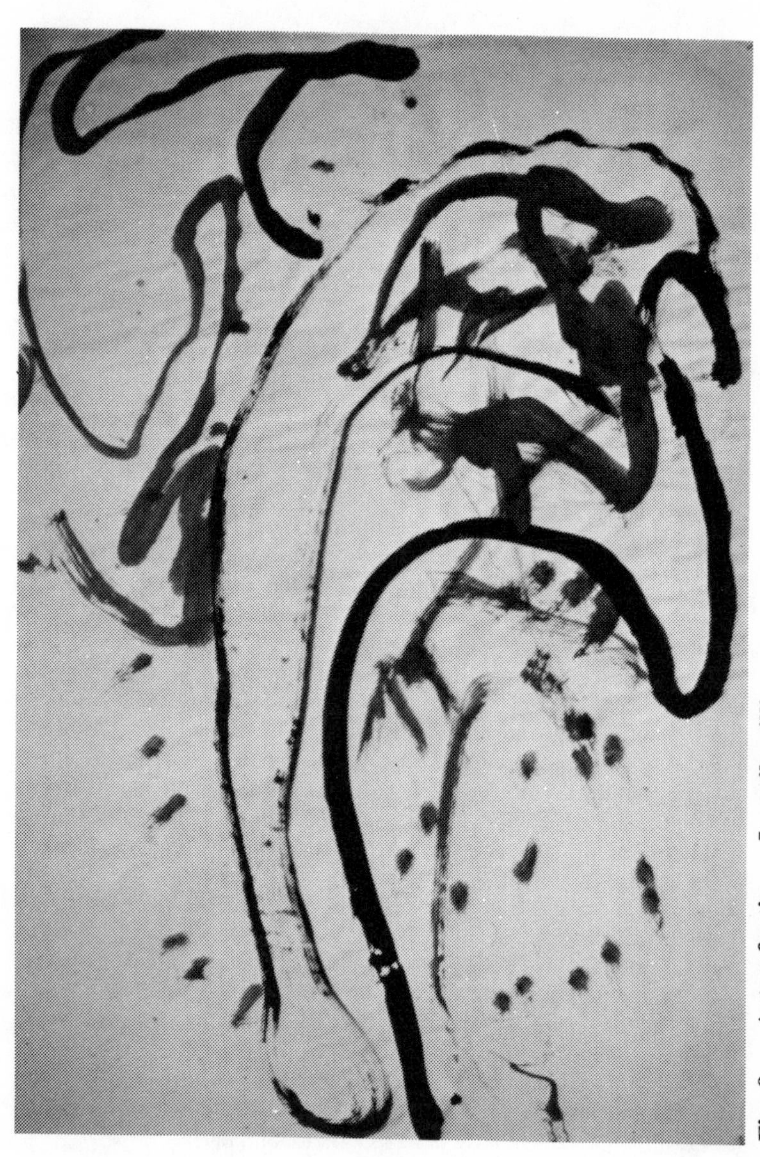

Fig. 9 — Art enfantin — Le gribouillis

Fig. 9 — Art enfantin — Le gribouillis.

Les premières formes de projection plastique de l'enfant sont les gribouillis, ou gribouillages, résultant d'une pulsion motrice inscrivant des traces sur un support quelconque. Dans ce dessin, sont groupées en voisinage les arabesques du centre (noires), celles de la région supérieure droite (mauves) et celle de la région inférieure droite (vertes). La section de gauche, marquée d'un réseau de pointillés, contraste vivement avec la droite où se déploient des dynamismes spécifiques. Les couleurs servent aussi à marquer la séparation des groupes entre eux, en particulier l'amoncellement vert, au bas à droite, enveloppé par des trajets vectoriels linéaires. Par la juxtaposition et la succession de points, puis d'éléments linéaires d'épaisseurs variées et leurs concentrations occasionnelles dans des taches, un ensemble de signes plastiques est élaboré, pour être repris dans des dessins ultérieurs.

La production de ces éléments plastiques concrétisent pour l'enfant des trajets sensori-moteurs et émotifs, vécus ou souhaités, organisant en un même lieu spatial, leurs interrelations. Succédant aux premiers «tableaux» mobiles et fugaces par lesquels il organise son expérience du monde, les espaces pratiques ou organiques seront pour l'enfant les références fondamentales des représentations spatiales qu'il élabore sur la base des rapports topologiques.

de l'organisme interne dans sa relation à tout ce qui n'est pas lui, au non-moi.

Autant par le trajet dynamique du sujet que par la matérialité formelle du médium, ce va-et-vient de la main sur une surface produit spontanément des formes, qui s'offriront comme le premier et fondamental réservoir des éléments formels susceptibles de fonder l'expression graphique ultérieure. «Longtemps avant que l'enfant puisse dessiner un carré, un cercle ou tout autre contour d'une forme, ces formes sont implicites dans ses gribouillis»[130]. Il faudrait ajouter aussi que les arabesques, les boucles, les taches, ces formes «informelles» ou ouvertes, se maintiendront comme des éléments du vocabulaire graphique chargés d'une fonction expressive forte et bien définie. Pendant longtemps, l'enfant trouvera plus de facilité à produire des formes ouvertes que des formes fermées, étant donné l'effort de concentration nécessaire au retour d'une ligne à son point de départ propre. Aussi les formes ouvertes seront chargées dès le début pour l'enfant d'un dépôt de significations symboliques beaucoup plus profondes et nombreuses que les formes fermées, d'abord minoritaires en nombre et dotées de fonctions plus synthétiques et spécifiques. Ces formes fermées seront nécessairement issues de l'expérimentation des courbes, des zig-zags, des angularités, des spirales, du gribouillis initial, qui forment le réservoir de base des éléments graphiques développés plus tard.

Il faut noter avant tout que les tracés des gribouillis ne seront jamais abandonnés tout au long de l'évolution graphique de l'enfant ou de l'adulte, mais seront utilisés fonctionnellement, sous un prétexte plus ou moins mimétique, dans l'organisation de la complexité spatiale. Ils seront malheureusement dépouillés de leur valeur expressive par la perception adulte. «Quand il grandit, l'enfant utilise ses gribouillis pour faire des cheveux aux gens, des feuilles aux arbres, de la fumée aux cheminées et des nuages dans le ciel»[130]. À son utilisation analogue si fréquente dans l'art adulte (les drapés, les ombres, etc.) il faut surtout ajouter sa persistance dans la notion et la fonction des textures mêmes des surfaces plastiques. La texture des tableaux, ce qu'on appelle parfois les qualités de matière, exerce une fascination particulière dans l'art adulte, parce qu'elle perpétue l'espace ouvert des gribouillis, maintenant une liberté essentielle de la touche de signifier, non un objet externe précis, mais l'univers polymorphe, dégagé et libre du stade du gribouillis. Sa fonction apparaîtra sans doute d'autant plus nécessaire et compensatoire que, par ailleurs, la vision plastique sera soumise à l'hégémonie des formes fermées.

Se plaisant dès l'âge de 18 mois à la production de gribouillis, le jeune enfant les réalisera pendant plusieurs années sans leur reconnaître de fonction représentative «externe» ou mimétique particulière. Selon les statistiques de H. Hetzer, citées par Piaget,[131] seulement 10% des enfants de 3 ans assignent après coup une signification représentative externe à leurs gribouillis. À 4 ans, seulement un tiers d'entre eux projetteront ainsi une signification, toujours après coup, alors qu'un tiers lui en affecteront une pendant la production du griffonnage et un tiers lui en assigneront une d'avance. À 5 ans cependant, 80% des sujets posent ce but au préalable, sans qu'on ait mesuré pourtant l'influence prépondérante que joue à cet égard le milieu adulte, particulièrement assujetti le plus souvent à une mise en orientation mimétique de toute projection rythmique sous peine de ne lui accorder autrement aucune attention.

Très tôt cependant, ces gribouillis s'organisent formellement dans l'expérience graphique de l'enfant, se rassemblant, se dispersant sur la surface, à l'intérieur d'une vingtaine de schémas de base (vertical, horizontal, diagonal, circulaire, courbe, tressé, etc.) déjà répertoriés aisément à l'âge de deux ans. Ces modèles, ces «patterns» ou «gestalts» de localisation (au centre, en haut, en bas, dans les coins, redoublés, etc.) régiront plus tard les dessins plus mimétiques, offrant la structure de base de la projection spatiale particulière expressive de chaque enfant.[132]

Ces regroupements d'ensembles de gribouillis s'effectuent seulement à partir du moment où l'enfant structure le rythme initial qui sous-tend son geste, dans des noeuds de représentation plus chargés de signification spatiale. Comme l'explique Piaget: «... tout mécanisme mental évolue du rythme au «groupement» par l'intermédiaire de régulations, coordonnant d'abord les éléments des rythmes initiaux, et aboutissant ensuite, par leur réversibilité croissante à des formes linéaires de groupement»[133].

L'instauration de ces «régulations» est nécessairement endogène chez l'enfant en bas âge, non-conditionnée par le milieu socio-culturel. Elle sert d'abord et avant tout à une mise en organisation de la représentation spatiale des éléments de l'expérience subjective de l'enfant, puisque la spatialisation elle-même est une construction interne réalisée par les factultés sensori-motrices et intellectuelles de l'enfant. Comme nous l'avons vu précédemment, ces régulations premières sont avant tout d'ordre topologique.

Il est hautement regrettable que ces régulations internes structurées à partir des modes de rapports topologiques fondamentaux de voisinage, de séparation, etc. aient été perçues par la plupart des pédagogues et spécialistes de l'art enfantin comme de simples «automatismes graphiques» qu'il n'y a pas lieu de comprendre et d'analyser.

Pourtant, dès 1927, Henri Luquet dans son oeuvre de pionnier sur «Le dessin enfantin» affirmait que l'enfant organise ses éléments graphiques à partir de ce qu'il appelle le «modèle interne», c'est-à-dire un schéma générateur d'organisation des éléments, dont il voit la source dans une réalité psychique existant à l'intérieur de l'enfant: «C'est lui que l'enfant copie, lors même qu'il s'est expressément proposé de reproduire un objet (motif ou modèle) qu'il a sous les yeux».[(134)] On peut certes poser qu'aussi longtemps que l'enfant demeurera en liaison avec ce modèle interne, il trouvera une stimulation et une justification suffisantes à son activité plastique pour la poursuivre.

Ce modèle interne dont l'action se fera sentir longtemps, envers et contre toute pression de mimétisme exercée par le milieu, est constituée de niveaux ou de structures tout à fait essentielles, alors que d'autres demeurent accidentelles. Selon Luquet, l'élément essentiel de la projection n'est jamais nommé par l'enfant, même s'il attribue des significations quelconques à son dessin. Cet élément essentiel ne constitue pas un détail de sa projection, mais au contraire il en englobe tout le sens. Ainsi après avoir dessiné une maison, l'enfant peut en indiquer des détails, comme les portes, les fenêtres, le toit, la cheminée. Il ne nommera pas ce qui l'a poussé à dessiner une maison, c'est-à-dire le désir de projeter le contour de la façade, i.e. de produire un carré ou un rectangle. De même, l'enfant peut détailler verbalement les parties d'une montre dessinée, les aiguilles, les chiffres, etc., mais pour son être intime, le «cercle» est essentiellement ce qu'il a voulu retenir de l'élément de réalité que peut représenter la montre. Le cercle est le «modèle interne» qu'il cherche à reproduire.

L'existence de ce besoin spécifique de reproduire avant tout un modèle interne apparaît surtout manifeste à

Luquet dans la conduite par laquelle l'enfant ayant atteint une certaine dextérité et comprenant la requête du milieu socio-culturel pour qu'il imite une certaine apparence des choses, empruntera aux adultes leur façon de dessiner et leur fournira un «type» de dessin qui les satisfera. Mais il produira parallèlement un autre «type» de dessin de l'objet qui contribuera à sa propre satisfaction personnelle.(135)

Il est remarquable d'ailleurs que c'est toujours à la suite d'un questionnement des adultes: qu'est-ce que cela représente? Qu'est-ce que tu as dessiné? — que l'enfant qui a dessiné une forme non-figurative, topologique ou géométrique, tentera de lui surajouter une signification figurée.

Luquet explique la naissance du stade du «réalisme fortuit» chez l'enfant, de la même façon qu'il avait commenté l'origine du répertoire des formes lui-même, à partir du gribouillis jusqu'à des lignes spécifiques. Ce stade résulte, dit-il, d'un processus d'«automatisme graphique», se développant par homonymie. C'est-à-dire qu'une forme libre est perçue et identifiée par l'enfant, qui la répètera avec des variations très lentes, se forgeant ainsi un réservoir de trajets graphiques dont il a une certaine maîtrise. Cet automatisme de «répétition» se relie de façon très étroite aux besoins internes de représentation de l'enfant. Luquet signale que certains d'entre eux vont répéter deux, trois, quatre, quarante, cent fois la même forme. D'autres encore pourront refaire le même dessin, à quelques jours d'intervalles, pendant 14, 18 ou 20 jours. Tout un ensemble de conditionnement social les conduira à donner une fonction mimétique à ces formes, plus ou moins «reconnaissables», qui ont émergé de l'automatisme graphique. L'on sait que c'est par un processus analogue que certains sociologues ont voulu expliquer l'apparition de l'art.(129)

Cela signifie que l'enfant procède d'abord à «un tracé exécuté simplement pour tracer des lignes».[136] Ce n'est qu'à titre exceptionnel que ses propres dessins représentent pour l'enfant un objet externe. Cependant le conditionnement socio-culturel de l'enfant lui a fait connaître très tôt des dessins qui représentent des «choses» du milieu extérieur.[137] Le hasard analogique, doublé sans doute de la pression du monde adulte, lui permet soudain d'associer à des lignes fortuites l'évocation d'un objet externe. L'apprentissage de la production de la «ressemblance» se continuera par «l'intermédiaire» de dessins en partie instantanés, en partie voulus».[138]

Luquet n'a pas pu éclaircir beaucoup la nature et la fonction du «modèle interne» que les travaux de Piaget expliciteront plus tard comme la mise en relation des rapports topologiques, non plus que la structure et la fonction de «l'automatisme psychique». Mais certes le développement de l'art «automatiste» depuis 1940, au Québec aussi bien qu'à New York dans l'Action Painting, a révélé que ce terme peu explicatif est en réalité un mot-écran. Il recouvre divers trajets fortement conditionnés à plusieurs niveaux, aussi bien par les structures émotives inconscientes et intellectuelles que par les structures formelles véhiculées nécessairement par les signes eux-mêmes.

Les voies ouvertes à la pédagogie artistique par Luquet ont été reparcourues par un certain nombre d'éducateurs, au cours des décennies suivantes, sans que ceux-ci semblent conscients de l'apport que constitue en ce domaine l'épistémologie génétique, ni même des discussions fécondes que pouvaient offrir les confrontations opérées par Piaget entre les dessins de ses propres enfants et ceux de la fille de Luquet. C'est particulièrement à partir des recherches d'Arno Stern et de son équipe que les développements les plus significatifs se sont ensuite produits dans la découverte des structures plastiques de l'art enfantin.

On y voit démontrer, en effet, la permanence et le dynamisme des divers espaces pratiques découverts par Piaget. En outre, les découvertes d'Arno Stern souligneront le rôle premier et fondamental joué par certaines formes primaires dans le développement de la projection représentative de l'enfant, en dépit du caractère inconscient que ce mécanisme conserve pour le sujet humain.

Pour Arno Stern, comme il l'expose dans son ouvrage intitulé «Le langage plastique, étude des mécanismes de la création artistique de l'enfant»(139), l'art enfantin est essentiellement un langage. Ce langage possède une véritable «grammaire plastique» qui se présente comme «une expression académique à sa manière, obéissant à des lois particulières auxquelles l'enfant ne peut échapper».(140)

Par ailleurs, si la grande «loi de l'expression» conditionne tout le trajet d'activité artistique de l'enfant, celle-ci se heurte constamment à la contrainte que représente «l'habillage» figuratif, qui égarera la compréhension de tout percepteur de ces oeuvres. Cet «habillage» figuratif tendra en particulier à faire confondre l'anecdote avec les structures formelles de base.

Plus précisément, Stern a souligné l'utilisation «universelle» chez les enfants de certaines formes primaires, notamment de la figure du «trapèze». «Celle-ci est imposée à l'enfant au moment de sa disponibilité à l'expression, on pourrait aussi dire de son inspiration».(141) Or le trapèze, première forme que l'enfant se sent contraint de projeter de façon spécifique et continue, est la transposition formelle de la conscience subjective de cet espace postural, où l'enfant couché, jambes écartées, se situe dans le monde ambiant et ancre dans une représentation spatiale la première conscience de lui-même comme d'un objet, assimilable aux objets qu'il a construits dans le réel. Cette conscience d'un espace postural spécifique constitue une étape importante de la structuration du monde par l'enfant, en même temps qu'une expérience subjective aux répercussions fondamentales qu'il mettra beaucoup de temps à approfondir et assimiler réellement. Cependant le milieu culturel l'oblige à la travestir et à la méconnaître, en la dotant de pseudo-rapports avec la réalité mimétique. Extrêmement tôt chez l'enfant débutera ce «jeu de travestissement: jeu de rapports entre le symbole et l'image», dans lequel Stern verra l'essentiel du déroulement de la démarche artistique de l'enfant.

Cette forme du trapèze pourtant «est dictée à l'enfant, et sans qu'il en soit conscient, son acte créateur consiste à l'introduire dans le tableau au moyen de la figuration».[142] C'est-à-dire qu'à partir de la constitution d'un certain répertoire «d'objets externes», qui n'ont à ce moment, faut-il le souligner, aucune fonction expressive à partir de leur propre réalité, l'enfant projettera la forme du trapèze comme élément constituant d'une montagne, du toit d'une maison, d'une jupe, d'un bateau, d'un plancher, d'un champ, etc.

Jacques Depouilly note la même observation capitale pour ce qui est de l'utilisation de la couleur par l'enfant. Celle-ci n'est pas une qualité contingente d'un objet figuratif, que l'on utiliserait à partir d'une relation de connaissance plus ou moins codée de la réalité. La couleur est l'objet même de la projection, le véhicule du désir expressif, qui se contraindra, comme dans le cas des formes primaires, à la doter d'un «habillage» figuratif, pour répondre aux conditions de la communication avec le milieu des éducateurs, des parents, des adultes en général. C'est-à-dire que le désir d'utiliser une couleur dictera à l'enfant le «sujet» de son dessin ou tableau: «Que pourrais-je faire avec du bleu, se demande l'enfant — une dame en robe bleue — et si ce n'est pas assez de bleu, on fera un ciel, des rideaux, la mer, etc.»[143] En ce sens, tout le répertoire si clairement établi des images classiques de l'art enfantin: soleil, maison, arbre, fleur, bonhomme, oiseau, etc. renvoie à des mécanismes d'organisation et de projection d'espaces subjectifs/objectifs, qui ont d'abord été vécus sous une forme d'espaces pratiques (buccal, postural, kinesthésique, auditif, visuel), puis topologiques. La projection de ces formes «figuratives» doit être décodée, comme le constate Stern, à deux niveaux. Il est nécessaire en effet de découvrir la «figuration» de l'image à son niveau fondamental, *sous* l'habillage et ensuite, de percevoir le contenu «occulte — inaccessible à l'identification commune». Comprendre le sens de ces images ne consiste certes pas à reconnaître ou non «l'objet externe» qui a pu servir de médium, ou mieux de masque, au désir expressif. Cette démarche, à laquelle se vouent en totalité trop d'éducateurs ou de parents de «bonne volonté» est un trajet tout à fait inutile, qui ne permet pas de communiquer avec l'expérience émotive/conceptuelle de l'enfant.

Pourtant depuis les premiers articles de E. Cooke, en 1805, en Angleterre jusqu'à tout récemment, les spécialistes de l'art enfantin ont malheureusement concentré leurs efforts dans des études portant uniquement sur l'utilisation de tel ou tel niveau d'«habillage» comme approche à la compréhension de ces faits expressifs. Ils ont noté scrupuleusement, chez Katzaroff, par exemple, que la «forme humaine» tient le troisième rang dans la fréquence des imageries, après les «objets divers» au premier rang et les «maisons» au deuxième. Ou encore, on a tenté d'établir une chronologie évolutive de l'affectivité enfantine à partir de l'évolution de cette imagerie, qui devra se couronner par l'accession au «réalisme figuratif». Cette manipulation superficielle de l'art enfantin, qui ne tient pas compte de la contrainte de «l'habillage», résulte uniquement d'une incapacité de l'observateur adulte de communiquer avec l'expressivité des faits plastiques eux-mêmes.

C'est uniquement à partir des études de Luquet sur les 1500 dessins produits par sa fille, entre l'âge de trois ans à huit ans et demi, repris par Piaget et ses propres observations sur les travaux de ses enfants, que les caractéristiques réelles des stades enfantins ont pu se présenter, non comme une évolution linéaire ou énumérative, mais comme une architectonique complexe où les structures de base accueillent, sans disparaître pourtant elles-mêmes, les développements les plus variés.

Ainsi à la suite de cette objectivation première dans la forme du trapèze, l'expérience spatiale/posturale de l'enfant créera un réseau de relations proprement inouï, constituant «l'espace de rabattement», super-forme dynamique englobante, où l'enfant réussit à interrelier une multiplicité de ses expériences sensorielles de la réalité. Le rabattement, explique Stern, est «l'expression de la sensation du corps couché les bras et les jambes tendues»[144] et mis en relation avec divers noeuds kinesthésiques, tactiles, etc. Cette transposition de la forme trapézoïque dans une multiplicité de lieux et de directions donnera naissance à des structures spatiales qui organisent de façon définitive la représentation spatiale humaine. Elle donne naissance en particulier à la fameuse «bande axiale» qui déterminera toutes les variations de la relation symétrique et qui est directement issue de «l'axe de rabattement»[145], soit de l'axe du corps médiatement figuré à la conscience de l'enfant par la colonne vertébrale.

Ainsi les multiples lignes médianes reproduites sur les routes dans le dessin enfantin, ne nous parle pas d'une route, mais constitue «l'image transposée de la sensation corporelle de l'enfant». De même, ces chemins ou ces boyaux dans lesquels cheminent humains et animaux renvoient directement à l'espace buccal et au prolongement de l'environnement constitué par le tube digestif; les yeux, les lunettes, les monticules renvoient au même espace buccal en sa relation aux seins. C'est-à-dire que le développement apparemment objectif et intellectuel de l'image de la réalité traduit, en réalité, un système de possibilités d'explorations et de prises de conscience, par la représentation du «schéma corporel», de l'image subjective du «corps interne», c'est-à-dire des bases mêmes de l'élaboration du moi(146).

Il apparaît nettement à travers les observations réalisées par Stern que d'une part, «les images ne sont en réalité qu'un habillage»(147) et que plus encore, l'utilisation de l'image s'oppose radicalement au «symbolisme expressif»(148), conclusion malheureusement méconnue aussi bien par les pédagogues que par les élaborations esthétiques traditionnelles. Car l'image mimétique ou référentielle n'est qu'un condensé synthétique d'un type d'objet qui ne peut être voulu et secrété que par les coordonnées spécifiques de l'espace euclidien, qualitatives comme la notion d'identité des objets, des substances, des volumes, aussi bien que quantitatives. Ces coordonnées ne peuvent être expressives du type de relations au monde établies aux niveaux topologiques premiers.

Plus important encore, le recours si excessif à «l'image» d'objets externes a masqué le fait que l'activité artistique n'a pas pour fonction de réitérer le primat d'une réalité «indépendante» du moi, mais d'exprimer la nature des relations qui fondent le rapport du moi et du non-moi, l'ensemble de ces relations constituant toujours un espace spécifique, expressif par ses coordonnées structurelles. Ce qui implique aussi que même au stade euclidien, l'élément expressif demeure le type de structure qui relie et définit les relations entre les «objets» figuratifs et non ces éléments figurés en eux-mêmes. Le traitement stylistique particulier auquel ils sont soumis n'est qu'un indicatif du type de relations qui les structurent.

Traditionnellement, cette déviation ou carence de la perception artistique qui a valorisé davantage le répertoire de l'image, de «l'habillage» figuratif, a entraîné une véritable suprématie de l'iconique dans la réflexion esthétique, au détriment de tout le champ expressif véritable de l'expérience humaine. Elle est le résultat de ce refoulement de l'expérience émotive de chaque individu, exigé par l'adaptation pragmatique au monde ambiant et les exigences de la vie en société, qui culmine dans le phénomène de la civilisation. Elle marque par-dessus tout le triomphe du «principe d'identité» où le signe statique est identifié au processus dynamique, à l'événement en continuelle transformation, afin d'en éliminer les caractères nouveaux et imprévus.

On veut ainsi rapidement résumer et restreindre la complexité de la situation subjective sous l'étiquette d'un «moi» et centrer la diversité de la relation de l'enfant au monde environnant sur quelques schémas visuels fixes: le «bonhomme», la maison, la rivière, la montagne, etc. offrant la réassurance commode au créateur/percepteur d'une certaine unité continue et linéaire de sa vie émotive.

Au contraire, le type de représentations spatiales élaborées par l'enfant explicite les relations fondamentales très nombreuses que l'homme établit avec le monde par l'intermédiaire de son organisme spécifique, depuis les premières activités sensori-motrices et un processus d'intériorisation qui construit une conscience du «moi», jusqu'à la constitution progressive de l'intelligence humaine, comme l'a montré Piaget.

Et à cet égard, Arno Stern est bien loin de croire que l'apprentissage de la spatialité euclidienne représente le couronnement de ce qui serait une évolution véritablement «progressive». Il écrit en effet: «L'éducation artistique a pour première tâche de révéler l'existence d'un art enfantin nettement distinct d'un art adulte, d'un art enfantin qui n'est pas l'ébauche perfectible de cet art adulte considéré comme un aboutissement. L'enfant est un créateur majeur, capable de la plus vive expression, doué de facultés par lesquelles il se distingue des adulte qui en sont mutilés».[(149)]

La meilleure corroboration de l'hypothèse de Stern réside peut-être dans cette situation paradoxale aujourd'hui, où en dépit d'un désir forcené des «forces démocratiques» afin de rendre la créativité accessible à tous et non à une minorité d'individus aisément identifiables dans nos sociétés, l'adulte moyen se trouve complètement paralysé devant la surface blanche qui sollicite son besoin expressif. Comme l'explique Stern «l'adulte, coupé du langage plastique primaire, n'ayant pas fait évoluer à la mesure de sa maturation générale les moyens d'expression — son langage plastique —, se trouve paralysé devant la feuille blanche, comme un acteur qui ne sait pas son rôle».[(151)] L'adulte devient incapable de mettre en oeuvre des «formulations plastiques» qui ont conservé des liens vivants avec son expérience subjective. Ces «formulations plastiques» doivent émerger d'un «processus de concrétisation d'un sentiment en une forme symbolique sans fonction figurative».

La civilisation impose en effet à l'enfant, au futur adulte, une coupure radicale avec toute cette expérience émotive structurée par les rapports topologiques, au moment de la puberté, soit entre dix et douze ans. Un impitoyable mécanisme de censure et de refoulement est mis en oeuvre par les processus d'éducation pour entraîner l'enfant à nier, à dévaloriser ses modes antérieurs de relation affective au réel et à lui faire rejeter les quelques moyens de représentation, d'ordre topologique, qu'il avait pu élaborer jusque là pour rendre compte de son expérience. Cette castration symbolique extraordinaire a pour but d'imposer le primat de la représentation mimétique à l'intérieur de la structure spatiale euclidienne.

Le psychanalyste et historien d'art, Anton Ehrenzweig s'est particulièrement attaché dans son premier ouvrage intitulé «The Psychoanalysis of Artistic Vision and Hearing»[151] à décrire les mécanismes de répression extrêmement complexes qui ont abouti à l'établissement du conformisme observé par la théorie de la Gestalt, quant au primat de la «bonne forme», claire, rationnellement structurée et dont le mimétisme euclidien représente la concrétisation majeure.

Dépassant largement l'affirmation psychanalytique d'une censure exercée par le Sur-moi sur le «contenu» des symboles, Ehrenzweig invoque une censure structurelle plus ancienne et plus radicale qui s'est exercée à l'encontre des perceptions de formes «vagues», inarticulées, floues, archaïques, qui se réalisent à partir des couches les plus profondes de l'organisme humain, et que nous appelons pour notre part, à la suite de Piaget, des formes topologiques.

La première censure agit directement contre la perception même de ces formes floues. En deuxième lieu, cette censure canalisera ensuite les «processus secondaires» dans une opération de simplification, d'élimination de détails, de reglobalisation, afin d'éliminer les formes qui restent vagues au profit des formes nettes. Ce processus serait le mécanisme même selon lequel s'est constituée l'histoire de l'art, qui ne représente que l'ensemble des décisions prises pour ne valoriser que certains types d'articulation nette, en certains lieux, à certaines époques. Seulement certaines formes précises, certains styles seront déclarés valides, les autres seront expulsés du domaine de l'art. Pourtant, affirme Ehrenzweig, l'inconscient et les «processus primaires» qui le véhiculent ne s'exprimeraient qu'à travers des formes «informelles», dénuées de précision et de netteté. C'est-à-dire que cette censure a toujours eu pour fonction de refouler l'expression de l'inconscient, pour ne laisser apparaître que des produits déformés qui le trahissent sans cesse.

Cette répression culturelle a donné naissance, selon Ehrenzweig, à différents styles, selon les aspects spécifiques qu'elle visait, dans le but toujours de prévenir une adaptation du sujet humain au monde vague, changeant et flou qui serait le terme naturel de sa perception du réel. Il cite Cézanne, par exemple, qui a déclaré vouloir «retrouver les «sensations confuses» avec lesquelles nous sommes tous nés». Tout acte de pensée créatrice exigerait donc une désintégration de la perception de la chose «concrète», afin d'accéder aux images plus abstraites, mais réelles: «... à travers un retour à la perception non-différenciée de la chose de l'enfant ou à l'absence de différenciation chosiste de la pensée primitive.»[(152)]

Cette répression, à la fois individuelle et collective, s'est exercée d'abord et surtout par l'imposition du «principe de constance», qui réprime la perception des variations constantes du réel, «afin de permettre une adaptation facile et rapide à la réalité extérieure».[(153)] Une première application de cette répression fut l'établissement du principe de «la constance de la localisation des choses dans l'espace», qui nie aussi bien le mouvement rétinien que le mouvement incessant des choses dans le monde.

Tout le trajet de l'art dit réaliste vers l'art abstrait contemporain peut être décrit comme anti-répressif, car il a été constitué d'un ensemble de «distorsions» imposées au «principe de constance». Ainsi à la Renaissance, l'introduction de la «perspective» a permis de rendre compte des variations dans la perception des formes réelles, selon les points de vue et les distances différentes, brisant donc «la constance des formes». Le Baroque ensuite, en marquant les hauts-contrastes de lumière et d'ombre, a attenté à la constance du ton local. L'Impressionnisme aurait réagi par l'utilisation des couleurs de grand air contre la pseudo-constance de la couleur. Cézanne aurait ensuite réintégré l'efficacité de la vision périphérique, s'opposant au principe répressif de la focalisation centrale et Picasso, à celui de l'unicité de la localisation spatiale.[154]

Même si elle est renforcée et conditionnée à un certain moment par la pression socio-culturelle, la répression qui s'exerce ainsi sur les processus de la perception et de la projection créatrice de l'inconscient a trouvé sa source première dans l'économie libidineuse de chaque individu. L'on sait que dans l'optique freudienne, l'inconscient est justement constitué par le refoulement d'un ensemble de pulsions et d'émotions désagréables et anxiogènes. En même temps que s'exerce un refoulement constant de la conscience de ces phénomènes, ceux-ci tentent, de par leur dynamique propre qui est celle de l'énergie libidineuse, de s'exprimer et de se réaliser sans cesse dans la réalité.

Ce processus de refoulement-défoulement conduira le moi, selon Ehrenzweig, à une répression spécifique du mode de réalisation de l'inconscient, lequel donne naissance au sens plastique et au plaisir esthétique. En effet, l'élaboration du processus d'articulation de la perception, en dépouillant les «messages» de l'inconscient de leurs connotations dangereuses, les rendra acceptables et «agréables», tout en les camouflant par un nouveau refoulement.

Ainsi s'exprime Ehrenzweig: «Le sentiment esthétique (est) le signal conscient d'un processus d'articulation, dirigé vers le haut; chaque fois que la révélation d'éléments formels inarticulés n'a pas été reconvertie par un processus d'articulation d'une gestalt, des sentiments de dégoût (laideur) interviennent afin de dévaloriser le symbolisme inconscient qui se révélait en eux. Aussitôt cependant que les éléments formels inarticulés sont masqués par la projection d'une «bonne» gestalt, des sentiments esthétiques de beauté naissent pour affermir et assister la nouvelle gestalt de surface obtenue.»(155) À cet égard, ce n'est pas tellement la grossièreté de nos instruments sensoriels que «la complexité infinie des processus de répression, qui ont construit la réalité externe autour de nous, dont la stabilité offre un contraste si marqué avec le flux éternel à l'intérieur de notre monde interne».(156)

Il y aurait donc censure perpétuelle et variée s'exerçant sur l'homme, une première censure élaborée par l'individu pour s'inventer des moyens de survie, malgré tout inadéquats, et une autre censure par laquelle il veut nier son propre inconscient. Ces censures individuelles sont reprises, consolidées et amplifiées au niveau du groupe social, qui cherche à raffermir encore les moyens d'adaptation au réel déjà élaborés par les censures individuelles.

Ce sont là des obstacles propres au développement créateur de l'homme qu'il pourrait sans doute vaincre, à partir d'une meilleure connaissance de ses besoins et de ses structures de comportement. Malheureusement les efforts des individus créateurs, en ce sens, se heurtent presque toujours à la force d'inertie de la répression sociale, qui veut maintenir même par la violence et la force brutale, les «déséquilibres» antérieurs.

L'accélération invraisemblable de l'histoire que connaissent aujourd'hui nos sociétés leur permettent d'ébaucher, de développer et de conclure, presque sous nos yeux, des formes de plus en plus excessives de répression. Un phénomène historique récent permet certes de vérifier la validité de l'hypothèse voulant que le monde occidental se livre d'une façon radicale à la tentative de réprimer le développement de l'émotivité dans ses relations avec les modes de représentation du monde.

À travers un raccourci stupéfiant, en effet, l'on peut observer comment Malevitch, après avoir assimilé la déconstruction impressionniste et post-impressionniste, l'utilisation topologique de la couleur/forme du Fauvisme, avait saisi dans le Cubisme et sa notion du plan, le moyen de reconstruire la représentation spatiale sur la base de la pleine affirmation des formes primaires dans l'espace «plat» des principales coordonnées topologiques.

Il rejoignait dans la série énumératrice des éléments suprématistes: carré, trapèze, cercle, croix, diagonale, etc., les formes matricielles de la perception du réel, qu'il interreliait selon les rapports topologiques fondamentaux du voisinage, de la succession, de l'enveloppement, etc. Dans ses dessins de 1911-1912, (tels «Inhumation» ou «Paysannes à la maison») on voit la progression du geste artistique, cherchant avant tout à produire et à exprimer les grandes formes primordiales du trapèze, du rectangle ou du cercle, qu'il «doit» cependant travestir encore de «l'habillage» figuratif, par suite de cette tyrannie particulière qu'il décrira comme le fait d'être «à la merci d'amateurs et de leurs goûts»(157). On peut observer le même phénomène dans ses tableaux «Paysannes aux seaux» ou «La moisson du seigle» (1912). Ce qu'il ne pouvait percevoir encore, c'est que ce «pouvoir», les «amateurs» (ou ce qu'en d'autres sociétés on appela le goût bourgeois) ne le possèdent que par délégation des structures politiques autocratiques, qui leur ont déjà inculqué par les diverses institutions sociales, une idéologie fixe et coercitive.

À toutes fins pratiques, Malevitch sera contraint par les structures répressives mises en place par le communisme marxiste-léniniste, de cesser de peindre en 1919. Et sa première exposition personnelle en 1919-20 ne réunira que les 153 oeuvres préalables qui constituent la totalité de sa démarche créatrice originale (Fig. no 10).

Sans se prêter à de superficielles analyses psychologiques, l'on ne sait si l'on doit être saisi d'horreur ou de pitié devant les dessins datés des environs de 1930, comme «Cabaret», «Maisons», «Trois dessins: Paysan, Maison, Homme avec une faux», ou encore «Personnage aux bras en croix», etc. Renonçant à ses propres développements, mais ne pouvant se plier entièrement aux contraintes sociales répressives, Malevitch repose les schémas mêmes du dessin enfantin: ligne d'horizon, maison au toit triangulaire ou trapézique, étagement des plans en hauteur, etc. Et il est contraint, par des forces encore plus articulées que celles qui généralement briment l'enfant, de leur ajuster un «habillage» figuratif. Éminemment tragiques cependant et hommage à la capacité de résistance de l'individu aux forces oppressives, apparaîtront cet «Homme et cheval» ou les «Deux personnages dans un paysage», datés d'après 1930, qui tout en étant structurés par l'organisation majeure de trapèzes dans une division en hauteur, présentent des cercles opaques là où doivent «figurer des têtes ou des visages».

Extrême dans l'interdiction même de peindre que subira Malevitch, ce qui l'obligera à anti-dater ses oeuvres tardives, cette répression policière communiste, qui servit de modèle au développement ultérieur du nazisme et du facisme, ne représente que le point culminant d'un ensemble de ramifications sociales datant de plusieurs siècles en Occident, tendant à canaliser dans des voies étroitement pragmatiques et «productives» les énergies émotives et psychiques de l'être humain. Le Constructivisme lui-même, dans ses orientations socio-productives, ne fut pas un complice innocent dans cette entreprise de figer l'homme dans des définitions politico-culturelles a prioriques, au lieu de le soutenir dans une investigation qui remet en cause les «vérités» déjà connues sur l'homme et ses structures profondes.

Malevitch réclamait avant tout une transformation des attitudes traditionnelles vis-à-vis de la réalité comme de l'art, qui instaurent l'arbitraire des «amateurs et de leurs goûts». Même avant qu'ils n'osent s'armer du pouvoir policier, les «goûts des amateurs» obligeaient les artistes d'aujourd'hui, selon Malevitch, à «attendre humblement leur sort, retenant un énorme gémissement, attendant que la nouvelle génération enlève les oeuvres des greniers et les mettent en réserve dans les musées». Il faut maintenant, dit Malevitch, libérer l'Art «de la dépendance du goût du «petit bourgeois» et que ça plaise ou non le placer dans un ordre scientifique»[157]. Il ne pouvait soupçonner que le goût du pouvoir des nouveaux «petits bourgeois» qui venaient de prendre en main les rênes de sa société, prétendrait s'étendre non seulement aux développements de l'art, mais à ceux de la science elle-même. Ces «petits bourgeois» ne goûtèrent pas en particulier les formulations de la théorie de la relativité ou celles de la psychanalyse, les ferments mêmes qui transformèrent au XXe siècle les bases de «l'image» traditionnelle du monde externe comme du monde interne de l'homme, soit l'hégémonie du réalisme euclidien et la mythologie du «moi».

Après le Suprématisme, Malevitch a d'une certaine façon réalisé cette démarche fondamentale qui était apparue nécessaire à Stern, lorsqu'il observait que le réalisme «inévitable» qui vient prendre la relève dans l'évo-

Fig. 10 — C. Malevitch, «La Croix suprématiste», 1920.
Gravure sur bois, Coll. particulière.

Fig. 10 — C. Malevitch, «La Croix suprématiste», 1920.

Cette gravure sur bois de Malevitch se situe dans le passage de l'artiste du Suprématiste au Constructivisme, lequel introduit au sein des rapports topologiques un certain schéma projectif. Dans un premier moment, la structure globale qui est focale et rayonnante, utilise avant tout des juxtapositions de voisinage/séparation entre des plans blancs et noirs, de longueurs et d'épaisseurs variées. Ces inégalités dans l'inclination tiennent en échec la virtualité de la superposition cubiste, mais suggèrent en même temps la dynamique projective des modèles architecturaux auxquels Malevitch s'intéressait particulièrement à cette époque. En effet, la force vectorielle de la juxtaposition des éléments rayonnants semble soulever le plan central par rapport aux blancs qui l'entourent.

Mais cette profondeur vers l'avant est réduite par la distorsion que subit le plan central, si fermement attaché à la ligne de base plus longue que les côtés, qui avance vers le spectateur en rejetant vers l'arrière les coins supérieurs gauche et droit. À nouveau, ce mouvement basculant du bas vers le haut, qui tend vers le rabattement, est enveloppé dans le plan spatial complexe qui se tisse entre les plans noirs obliques. Par la croix virtuelle qu'ils suscitent, ces derniers plans engendrent quatre angularités formées d'éléments de voisinage très différents, qui ondulent les champs blancs périphériques dans des profondeurs différentes.

lution des modes de représentation du monde de l'enfant «détruira une partie des facultés premières.»

La seule démarche créatrice ne pourra ensuite s'amorçer qu'à partir d'une déconstruction délibérée des codifications de la perspective euclidienne: «L'artiste devra refaire le parcours en sens inverse, sans pour cela retourner au stade de l'enfant, il devra s'éloigner de la réalité géométrique en replaçant la table dans une réalité plastique ou graphique. Il prendra donc la table comme prétexte et il la situera au-delà d'une figuration objective, en faisant d'elle une transposition subjective».(158) Ce fut en effet le trajet de Gauguin, de Cézanne, de Matisse et de Malevitch, aussi longtemps que les exigences d'expression adéquate de la «transposition subjective» ne commandèrent pas l'instauration d'un «monde sans objet», c'est-à-dire d'un monde libéré de la tyrannie de l'image de l'objet naturel. Sans comprendre tout à fait la nécessité de ce passage radical à un monde libéré de «l'habillage» figuratif, Stern en pose malgré tout l'inévitabilité dans sa conception même des «signes graphiques» élaborés par l'enfant ou l'adulte: «Les signes graphiques (que l'artiste appelle «l'écriture») ne viennent pas à l'enfant par l'observation de la nature, car ils sont précisément ce qui n'est pas naturaliste, ce qui se subtitue au réalisme».(159)

Il demeure d'ailleurs assez paradoxal qu'après avoir affirmé avec tant d'insistance l'écart qui existe entre le signe utilisé par l'enfant et la signification qu'il véhicule véritablement, Stern ait complètement interdit aux éducateurs d'établir toute relation entre ces deux niveaux du langage pictural: «Si l'adulte a raison de vouloir comprendre l'art enfantin, il ne doit cependant jamais chercher à en interpréter les signes, à en chercher les motivations.» Et quelques lignes plus loin: «En ce qui concerne l'éducateur, qu'il se contente de savoir que l'expression enfantine ne se limite pas à la figuration d'objets. Il y a CE que l'enfant représente et CE POURQUOI il le représente; sous l'aspect se cache un sens. Il doit en tenir compte dans ses rapports avec la création enfantine, mais ne pas chercher à aller au-delà de cette constatation».[160]

Si l'art enfantin se définit expressément comme un fait d'expression, comme le réaffirme si souvent Stern, la volonté de s'en tenir à l'ambiguïté superficielle de l'image, le refus de comprendre le «message», représentent un singulier mépris de l'effort de communication de l'enfant. Non seulement cette indifférence, cet aveuglement dans lesquels l'adulte veut se complaire, convaincront rapidement l'enfant de l'inefficacité de ses moyens plastiques d'expression, mais aussi de l'impossibilité de la communication par le médium plastique lui-même. Cela expliquerait en partie l'abandon général de l'activité plastique par les enfants vers l'âge de dix ou douze ans.

Par ailleurs, étant donné le lien indissociable qui s'établit entre l'évolution du sens et l'évolution des moyens expressifs, l'éducateur perdra par là la possibilité de vraiment percevoir et comprendre les transformations profondes que subiront nécessairement les moyens plastiques eux-mêmes au cours de l'évolution de l'art enfantin.

Stern fonde la nécessité de cet interdit de la recherche du sens des oeuvres enfantines sur le caractère inadéquat des recherches entreprises jusqu'ici pour cerner la dimension psychologique de ces faits d'expression. «La lecture d'un de ces dangereux ouvrages que d'irresponsables médecins ont offert en pâture à un public intrigué, ne peut qu'éloigner de la vraie compréhension de la création artistique de l'enfant.»[161]

Si fondée qu'elle soit, cette objection ne saurait être définitive et fermer la porte à toute recherche ultérieure.

Un langage destiné inéluctablement à ne pas être compris conserverait abusivement le nom de langage.

Plus important, nous semble-t-il, serait un trajet qui s'ouvrirait aux éléments d'éclaircissement que peuvent apporter les diverses disciplines humaines à l'art enfantin et à l'art tout court, pourvu que les tenants de ces diverses disciplines soient suffisamment initiés aux structures propres du langage plastique pour pouvoir décoder de façon pertinente les «signes» qui le constituent.

En ce sens, la notion de «régression temporaire» que les réflexions d'un Ernst Kris, par exemple, voudraient poser comme fondement au trajet de la créativité artistique, ne saurait de soi s'appliquer à cette attention que l'art abstrait a accordé aux formes primaires et aux relations topologiques. Car celles-ci constituent par ailleurs la base d'un développement majeur des possibilités psychiques humaines, notamment dans un domaine aussi complexe que les mathématiques supérieures, qui ne peuvent aisément être taxées de se fonder sur une «régression au service du moi»(162).

Si l'on veut bien concéder à la psychanalyse la validité d'un développement libidinal qui trouverait son équilibre véritable au premier stade génital (entre trois ans et quatre ans et demi) et par rapport auquel l'organisme pourrait régresser vers des organisations antérieures, l'observation la plus rudimentaire interdit de situer à l'âge où l'enfant accède au «réalisme euclidien» le niveau ultime de l'organisation psychique humaine, tant au plan de la conscience de ses expériences émotives et cognitives qu'au plan de l'élaboration de modes de représentation de plus en plus adéquats. De fait, vers l'âge de dix ou douze ans, toute la pensée abstraite, qui structure la réalité culturelle humaine, commence à peine à prendre son essor. Et le passage à la conscience de l'espace topologique n'est pas régression, même si elle a un fondement dans l'archéologie de l'être individuel, mais assumation de ce qui est à la fois le plus concret et le plus abstrait, soit une synthèse tardive des possibilités de développement de chaque individu.

Conclusion

Il nous est apparu manifeste que l'étude de la genèse des processus de structuration spatiale, comme celle des processus de représentation chez l'être humain, peut clarifier la nature des modes de représentation plus tardifs. Elle permet aussi de comprendre, sous un éclairage nouveau, le sens de l'évolution de la représentation picturale en Occident.

La complexité de cette évolution rend oiseuse toute tentative d'évaluation «moralisatrice» simpliste, posant que le plus tardif est supérieur au plus précoce, ou l'inverse. Cependant il faut malgré tout reconnaître que l'épistémologie génétique de Piaget, quelle que soit l'opinion de ce chercheur sur les modes d'expression de l'art contemporain, tend à valoriser davantage les productions humaines qui sont rendues possibles par le développement plénier de l'organisme humain.

Il en ressort aussi que le phénomène pictural ne doit plus répondre aujourd'hui aux simples exigences théoriques définies par l'esthétique traditionnelle. Il doit tenter plutôt d'expliciter dans un microcosme l'expérience du sujet-dans-le-monde, par des moyens à la fois abstraits et concrets, qui exigent une nouvelle forme de participation du spectateur. Puisant à la fois dans les connaissances accumulées sur la nature du réel et dans les notions récentes de la linguistique formelle et sémantique, le percepteur doit expérimenter concrètement et émotivement les nouvelles propositions de l'art d'aujourd'hui. Les mêmes principes opératoires sont finalement en cause, lorsqu'il s'agit de produire la profondeur «illusoire» de la tridimensionnalité que la profondeur continue de la peinture abstraite. Si l'on reconnaît le caractère collectif et culturel des systèmes axiomatiques qui président à la production des types les plus différents de peinture ou d'espace pictural, toujours transmis par une tradition partiellement verbale, il faut poser en outre que tous les tableaux surgissent à la jonction de la visualisation et de la verbalisation, avant même de pouvoir être expérimentés nonverbalement par le spectateur. L'oubli ou la méconnaissance de l'une ou de l'autre de ces dimensions rendraient bien aléatoire toute tentative de communion avec l'oeuvre d'art.

Les perspectives ouvertes par les recherches épistémologiques de Piaget sur les modes de représentation spatiale sont extrêmement fructueuses, puisqu'elles nous permettent de reconnaître et d'évaluer tout l'apport des géométries non-euclidiennes dans l'expérience quotidienne, commune et spontanée de chaque homme et dans son élaboration d'une notion de réalité.

Elles permettent en outre de rétablir un lien cohérent dans le tissu apparemment hétéroclite de l'évolution des modes de représentation spatiale chez l'homme. L'histoire de l'art n'a pu en effet jusqu'ici que s'interroger superficiellement sur les fondements structuraux qui peuvent relier dans un même univers de la représentation le «savant» Piero della Francesca et Cézanne le «primitif», l'art des sociétés préhistoriques et l'art abstrait du XXe siècle.

Plus spécifiquement encore, ces recherches de l'épistémologie génétique fondent, pour la première fois, la possibilité de réaliser cette sémiologie de l'art souhaitée si vivement depuis les recherches initiales de Kandinsky sur la «grammaire de la création». Ce projet demeurait en partie irréalisable, aussi longtemps que l'on ne pouvait lui assurer une méthodologie adéquate. Celle-ci doit, en effet, déterminer de façon explicite aussi bien les éléments plastiques qui constituent les signes du langage pictural que les modes syntaxiques de leurs interrelations et finalement une ouverture sémantique qui leur soit propre et non pas dérivée des seuls modes verbaux de représentation.

Sur un plan fondamental, cette épistémologie permet d'établir les distinctions de base entre l'espace dit réel, l'espace de la représentation et l'espace pictural. C'est seulement à partir de ces notions qu'il devient possible d'effectuer la transposition nécessaire de la définition du signe proposée par F. de Saussure et concevoir la relation entre le concept et le signe «visuel».

Sur le plan du «signifiant», la saisie de la structure du mode de représentation picturale permet la reconnaissance des éléments énergétiques qui peuvent le constituer, c'est-à-dire des éléments plastiques doués de qualités topologiques. Car le mode des interrelations qui s'établissent entre les rapports topologiques définit nécessairement la structure interne des signes qu'il fait émerger comme tels et, en même temps, leurs types de liaisons et d'interactions déterminent une «syntaxe» de ces éléments, utilisés dans la représentation picturale.

Par ailleurs, la structure des signes picturaux et de leurs relations syntaxiques est reliée de façon immédiate à la structure de la référence sémantique qu'ils véhiculent, puisque ce «signifié», issu de l'expérience du réel, a lui-même été construit à partir de modes de structuration analogues.

Paradoxalement, il faut conclure que le langage pictural s'offre à une prise plus directe de sa dimension sémantique que ne peut le faire le langage verbal. Le caractère arbitraire et linéaire des signes verbaux, comme les caractéristiques de leur structure de surface — comme l'ont démontré les travaux de Noam Chomsky — ne peuvent qu'obscurcir la nature de la référence qu'ils véhiculent.

Sur ces nouvelles bases, nous croyons possible que non seulement soient renoués les liens vivants entre l'homme du XXe siècle et les formes artistiques que lui propose son époque, mais aussi les fils brisés de sa propre expérience existentielle et spatialisante, depuis son enfance jusqu'à sa maturité.

Notes

(1) Cf. Karl Popper, *The Logic of Scientific Discovery*, Londres, New York, 1959

(2) O. Spengler, *Le déclin de l'Occident*, Paris, N.R.F. 1948, t. I

(3) O. Spengler, Ibid. p. 232

(4) O. Spengler, Ibid. p. 274

(5) O. Spengler, Ibid. p. 274

(6) O. Spengler, Ibid. p. 276

(7) Georges Matoré, *L'espace humain*, Paris, La Colombe, Ed. du Vieux-Colombier, 1962, 299 p. -p. 73

(8) Jean Piaget, *La construction du réel*, Delachaux & Niestlé, Genève, 1950, 2e ed.

(9) Gaston Bachelard, *Le nouvel esprit scientifique*, Paris, Alcan, 1934. Réédition, Paris, P.U.F., 1968, p. 173

(10) Cf. Alfred Korzybski, *Science and Sanity*, Lakeville, Conn. Int. Non-Aristotelian Library Publ. 1933, 798 p.

(11) Gaston Bachelard, *Le rationalisme appliqué*, Paris, P.U.F., 1949. Réédition, Paris, P.U.F., 1966, p. 146

(12) Gaston Bachelard, *Le nouvel esprit scientifique*, p. 67

(13) Jean Piaget, *La construction du réel*, Ibid.
La représentation de l'espace chez l'enfant, Paris, P.U.F. 1948, 581 p.

(14) Philippe Junod, *Transparence et opacité*, Lausanne, Ed. L'Age d'homme, 1976, 437 p.

(15) Jean Piaget, *La construction du réel*, Ibid. p. 307

(16) Jean Piaget, Ibid. p. 5

(17) Jean Piaget, Ibid. p. 310

(18) Jean Piaget, Ibid. p. 9

(19) Jean Piaget, Ibid. p. 337

(20) Anton Ehrenzweig, *L'ordre caché de l'art*, Paris, N.R.F. Coll. Connaissance de l'insconscient, 1974, 358 p. (1ère éd. anglaise, 1967) - p. 40

(21) A. Ehrenzweig, Ibid. p. 41

(22) A. Ehrenzweig, Ibid. p. 43

(23) A. Ehrenzweig, Ibid. p. 47

(24) A. Ehrenzweig, Ibid. p. 53

(25) A. Ehrenzweig, Ibid. p. 54

(26) A. Ehrenzweig, Ibid. p. 45

(27) A. Ehrenzweig, Ibid. p. 54

(28) A. Ehrenzweig, Ibid. p. 46

(29) A. Ehrenzweig, Ibid. p. 46

(30) A. Ehrenzweig, Ibid. p. 55

(31) A. Ehrenzweig, Ibid. p. 79

(32) A. Ehrenzweig, Ibid. p. 95

(33) A. Ehrenzweig, Ibid. p. 104

(34) A. Ehrenzweig, Ibid. p. 106

(35) A. Ehrenzweig, Ibid. p. 104

(36) A. Ehrenzweig, Ibid. p. 120

(37) A. Ehrenzweig, Ibid. p. 116

(38) A. Ehrenzweig, Ibid. p. 142-143

(39) A. Ehrenzweig, Ibid. p. 150

(40) K. Malevitch, *On New Systems in Art*, (1919) in *Essays on Art*, New York, George Wittenborn, p. 99

(41) K. Malevitch, *Non-Objective Creation and Suprematism*, Ibid. p. 120

(42) Jean Piaget, *La représentation de l'espace*, Ibid. note p. 28

(43) Jean Piaget, Ibid. pp. 38-39

(44) Roy M. Pritchard, *Stabilized Images on the Retina*, in *Scientific American*, June 1961

(45) Jean Piaget, *La construction du réel*, Ibid p. 45 sq.

(46) Jean Piaget, Ibid. p. 127

(47) Jean Piaget, Ibid. p. 130

(48) Jean Piaget, Ibid. p. 138

(49) Jean Piaget, Ibid. p. 185

(50) Jean Piaget, Ibid. p. 186

(51) Jean Piaget, Ibid. p. 322

(52) K. Malevitch, *On New Systems in Art*, Ibid. p. 114

(53) Jean Piaget, *La construction du réel*, Ibid. p. 322

(54) Monique Laurendeau et Adrien Pinard, *Les premières notions spatiales de l'enfant*, Delachaux & Niestlé, Neuchatel-/Suisse, 1968, 381 p.

(55) M. Laurendeau et A. Pinard, Ibid. p. 23

(56) K. Lovell, D. Healy, A.D. Rowland, «Growth of some Geometrical Concepts», in *Child Development*, 33, pp 751-767

(57) M. Laurendeau et A. Pinard, Ibid. p. 17

(58) M. Laurendeau et A. Pinard, Ibid. p. 17

(59) M. Laurendeau et A. Pinard, Ibid. p. 140

(60) Jean Piaget, *La représentation de l'espace chez l'enfant*, Ibid. p. 532

(61) M. Laurendeau et A. Pinard, Ibid. p. 139

(62) Jean Piaget, *La représentation de l'espace*, Ibid. p. 573

(63) Jean Piaget, Ibid. p. 49

(64) Jean Piaget, Ibid. p. 541

(65) Jean Piaget, Ibid. p. 541

(66) Ferdinand de Saussure, *Cours de linguistique générale*, Paris, Payot, 1916, (4e éd. 1946)

(67) Jean Piaget, *La représentation de l'espace*..., Ibid. p. 541

(68) Jean Piaget, Ibid. p. 541

(69) Jean Piaget, Ibid. p. 541

(70) Cf. Jacques Depouilly, *Enfants et primitifs*, Delachaux & Niestlé, Genève. 1964, 83 p.

(71) W. Chin & N.E. Steinrod, *First Concepts of Topology*, Random House, L.W. Singer & Co. New York, 1966

(72) Jean & Simonne Sauvy, *La découverte de l'espace chez l'enfant*, Paris, Ed. Casterman, pp. 33 et 35

(73) J. & S. Sauvy, Ibid.

(74) Jean Piaget, *La représentation de l'espace*..., Ibid. p. 174

(75) Fernande Saint-Martin, *Structures de l'espace pictural*, Montréal, HMH, 1968, 172 p.

(76) H. Rorschach, *Psychodiagnostic, Méthode et résultats d'une expérience diagnostique de perception*, P.U.F. 1947

(77) Yvon Gauthier, *Fondements des mathématiques*, Montréal, Les Presses de l'Université de Montréal, 1976, 460 p. Cf. Chap VI: «Sur la structure ou la construction du continu, pp 201-216

(78) Yvon Gauthier, Ibid. cité p. 29

(79) Yvon Gauthier, Ibid. p. 223

(80) Jean Piaget, *La représentation de l'espace*..., Ibid. p. 541

(81) Jean Piaget, Ibid. p. 545

(82) Jean Piaget, Ibid. p. 546

(83) Jean Piaget, Ibid. p. 547

(84) Suzi Gablik, *Progress in Art*, New York, Rizzoli, 1977, 192 p.

(85) Suzi Gablik, Ibid. -Cf. le tableau p. 43

(86) Suzi Gablik, Ibid. p. 91

(87) Suzi Gablik, Ibid. p. 85

(88) Suzi Gablik, Ibid. p. 88

(89) Jean Piaget, *La représentation de l'espace...*, Ibid. p. 554

(90) Jean Piaget, *La représentation de l'espace...*, Ibid. p. 554

(91) Jean Piaget, *La représentation de l'espace...*, Ibid. p. 564

(92) Jean Piaget, *La représentation de l'espace...*, Ibid. p. 534

(93) Jean Piaget, *La représentation de l'espace...*, Ibid. p. 523

(94) Jean Piaget, *La représentation de l'espace...*, Ibid. p. 522

(95) Jean Piaget, *La représentation de l'espace...*, Ibid. p. 464

(96) William Worringer, *Abstraction and Empathy*, International University Press, New York, 1963, 141 p.

(97) William Worringer, *Abstraction and Empathy*, Ibid. p. 15

(98) William Worringer, *Abstraction and Empathy*, Ibid. pp. 15-16

(99) M. Laurendeau et A. Pinard, Ibid. p. 253

(100) Jean Piaget, *La représentation de l'espace...*, Ibid. p. 231

(101) Jean Piaget, *La représentation de l'espace...*, Ibid. p. 228

(102) Jean Piaget, *La représentation de l'espace...*, Ibid. p. 184

(103) Jean Piaget, *La représentation de l'espace...*, Ibid. p. 228

(104) Jean Piaget, *La représentation de l'espace...*, Ibid. p. 248

(105) Jean Piaget, *La représentation de l'espace...*, Ibid. p. 257

(106) Jean Piaget, *La représentation de l'espace...*, Ibid. p. 258

(107) Jean Piaget, *La représentation de l'espace...*, Ibid. p. 289

(108) E. H. Gombrich, *Art et illusion*, Paris, Gallimard, 1971, 554 p.

(109) Georges Matoré, Ibid. p. 252, note 8

(110) Robert Delaunay, «Constructionnisme et néo-clacissisme», in *Du Cubisme à l'art abstrait*, Paris, S.E.V.P.E.N., 1957, 411 p. - p. 56

(111) F. Saint-Martin, *Structures de l'espace pictural*, Ibid.

(112) A. Gleizes & J. Metzinger, «Du Cubisme», 1912 - Extraits dans E. Fry, *Le Cubisme*, Bruxelles, La Connaissance, 1966, p. 105

(113) Aristote, *Physique IV*, Ed. Carteran, Paris, 1923

(114) Ernst Cassirer, *La philosophie des formes symboliques*, Paris, Les Editions de Minuit, 1972, p. 107

(115) E. Panofsky, *La perspective comme forme symbolique*, Paris, Les Editions de Minuit, 1975, 273, p. 77

(116) E. Panofsky, Ibid. p. 60

(117) G. Ten Doeschate, *Perspective*, Nieuwkoop, B. de Grecof, 1964, 159 p. - p. 30

(118) Samuel Y. Edgerton Jr., *The Renaissance Rediscovery of Linear Perspective*, New York, Basic Books Inc. 1975, 206 p. - pp. 99-100

(119) L. Brion-Guerry, *Jean Pèlerin Victor, sa place dans l'histoire de la perspective*, Paris, Ed. Les Belles-Lettres, 1962, 511 p. - p. 46

(120) Oswald Spengler, *Le Déclin de l'Occident*, Ibid. p. 130

(121) E. Panofsky, *La perspective comme forme symbolique*, Ibid. p. 107

(122) Jean Piaget, *La représentation de l'espace...*, Ibid. p. 444

(123) E. Panofsky, *La perspective...*, Ibid. p. 91

(124) Jean Piaget, *La représentation de l'espace...*, Ibid. p. 493

(125) J. White, *The Birth and Rebirth of Pictorial Space*, Boston, Boston Book and Art Shop, 1967, 288 p.

(126) Rhoda Kellogg & S.O. Dell, *The Psychology of Children's Art*, C.R.M. Random House Publ. 1967, p. 11

(127) James Smith Pierce, *Paul Klee and Primitive Art*, New York/ London, Garland Publ. 1976, 192 p.

(128) George Kubler, *La forme des choses*, Paris, Champ libre, 1973.

(129) Cf. Roger Bastide, *Art et Société*, Paris, Payot, 1977, 211 p.

(130) Rhoda Kellogg, *The Psychology of Children's Art*, Ibid. p. 21

(131) Jean Piaget, *La représentation de l'espace...*, Ibid. p. 82

(132) Rhoda Kellogg, *The Psychology of Children's Art*, Ibid. p. 13

(133) Jean Piaget, *La représentation de l'espace...*, Ibid. p. 79

(134) Henri Luquet, *Le dessin enfantin*, Delachaux-Niestlé, Neuchatel, 1967, 208 p. - p. 64

(135) Henri Luquet, *Le dessin enfantin*, Ibid. pp. 52-53

(136) Henri Luquet, *Le dessin enfantin*, Ibid. p. 109

(137) Henri Luquet, *Le dessin enfantin*, Ibid. p. 111

(138) Henri Luquet, *Le dessin enfantin*, Ibid. p. 114

(139) Arno Stern, *Le langage plastique, Etude des mécanismes de la création artistique de l'enfant*, Neuchatel/Paris, 1963, Delachaux-Niestlé, 88 p.

(140) Arno Stern, *Le langage plastique*, Ibid. p. 10

(141) Arno Stern, *Le langage plastique*, Ibid. p. 15

(142) Arno Stern, *Le langage plastique*, Ibid. p. 16

(143) Jacques Depouilly, *Enfants et primitifs*, Ibid. p. 64

(144) Cf. Florence L. Goodnough, *L'intelligence d'après le dessin, le test du bonhomme*, Paris, P.U.F., 1957, 132 p.

(145) Arno Stern, *Le langage plastique*, Ibid. p. 23

(146) Arno Stern, *Le langage plastique*, Ibid. p. 28

(147) Arno Stern, *Le langage plastique*, Ibid. p. 11

(148) Arno Stern, *Le langage plastique*, Ibid. p. 13

(149) Arno Stern, *Le langage plastique*, Ibid. p. 12

(150) Arno Stern, *Le langage plastique*, Ibid. p. 34

(151) Anton Ehrenzweig, *The Psychoanalysis of Artistic Vision and Hearing*, Londres, Sheldon Press, 1975, 272 p.

(152) Anton Ehrenzweig, *The Psychoanalysis of Vision...*, Ibid. p. 168

(153) Anton Ehrenzweig, *The Psychoanalysis of Vision...*, Ibid. p. 182

(154) Anton Ehrenzweig, *The Psychoanalysis of Vision...*, Ibid. p. 215

(155) Anton Ehrenzweig, *The Psychoanalysis of Vision...*, Ibid. p. 226

(156) Anton Ehrenzweig, *The Psychoanalysis of Vision...*, Ibid. p. 236

(157) C. Malevitch, «Le Musée de la culture artistique de Pétrograd», in *Catalogue de l'exposition Malevitch*, Paris, Centre Georges Pompidou, 1978, p. 30

(158) A. Stern & Pierre Duquet, *Du dessin spontané aux techniques graphiques*, Neuchatel, Delachaux-Niestlé, 1958, pp. 14-16

(159) Arno Stern et Pierre Duquet, *Du dessin spontané...*, Ibid. p. 36

(160) Arno Stern, *Une nouvelle compréhension de l'art enfantin*, Neuchatel, Delachaux-Niestlé, 1968, p. 24

(161) Arno Stern, *Une nouvelle compréhension...*, Ibid. p. 22

(162) Ernst Kris, *Psychoanalytic Explorations in Art*, New York, International Universities Press, 1952.

Achevé d'imprimer
en janvier mil neuf cent quatre-vingt
sur les presses de l'Imprimerie Gagné Ltée
Louiseville - Montréal - Canada